LES TISSERANDS

Abdennour Bidar

LES TISSERANDS

Réparer ensemble
le tissu déchiré du monde

ÉDITIONS LES LIENS QUI LIBÈRENT

ISBN : 979-10-209-0396-9

«Aucun homme n'est une île, un tout complet en soi, tout homme est le fragment d'un continent»

JOHN DONNE (1572-1631)

Et en même temps :

«Sois une goutte d'eau et bois l'océan !»

MOHAMMED IQBAL (1873-1938)

Avant-Propos

Nos grands médias sous-estiment le phénomène.
Nos politiques n'en ont cure. Notre système économique injuste, fondé sur le profit, n'en a pas encore
compris la menace pour lui. Mais déjà un peu partout dans le monde commencent à se produire «un
million de révolutions tranquilles»[*], dans tous les
domaines de la vie humaine: «travail, argent, santé,
habitat, environnement». J'appelle Tisserands les
acteurs de ces révolutions. Leur objectif commun, en
effet, est très simple: *réparer ensemble le tissu déchiré
du monde*.

Ces Tisserands sont à mes yeux les nouveaux résistants – les modestes héros de notre temps, les indispensables hérauts des temps à venir. Mais ils vont

* Bénédicte Manier, *Un million de révolutions tranquilles*, Les
Liens qui libèrent, 2012.

avoir besoin de renfort! Car leur combat pour «relier la vie» s'est engagé contre d'énormes forces de destruction qui sur la planète entière aggravent continuellement ces multiples déchirures et divisions dont nous souffrons tous à un degré ou à un autre: la séparation de l'homme d'avec son âme, les inégalités et les fractures sociales, les absurdes guerres culturelles, l'épouvantable divorce entre l'homme et la nature. Tout en étant redoutables, ces forces de «déliaison» le paraissent plus encore à cause de la façon dont les médias les ressassent jusqu'à l'écœurement – comme s'ils cherchaient à nous persuader que nous sommes impuissants face à elles...

Rien n'est plus faux pourtant. Car un nombre sans cesse croissant de Tisserands ont entrepris avec une énergie considérable de nous faire changer d'ère – et parmi eux une jeunesse qui a déjà commencé de vivre autrement, de façon moins matérialiste et moins égoïste, plus partageuse, plus en lien avec ses aspirations profondes, plus en lien aussi avec la nature. Grâce à tous ceux-là, les réseaux de la vie reliée se multiplient maintenant comme la montée de sève au printemps irrigue l'arbre d'une vitalité nouvelle... Et toutes ces luttes tisserandes pour la «reliaison du monde» s'amorcent alors même que la question du spirituel revient au centre de nos questions de civilisation. Est-ce seulement une coïncidence? Je ne crois pas.

Le terme «spirituel» vient du mot «esprit», qui renvoie lui-même à l'idée d'être inspiré et à la notion de «souffle de vie» créateur. Et c'est bien ce souffle puissant de la vie et de l'esprit qui commence aujourd'hui à soulever les vies tisserandes!

Comment cependant ces luttes tisserandes vont-elles atteindre la masse critique nécessaire pour nous faire passer au-delà de la Grande Déchirure? L'objectif est de fédérer au maximum leurs énergies pour l'heure trop inconscientes d'elles-mêmes et trop dispersées – comme des fantassins isolés sur un champ de bataille, et donc sans efficacité. Il est temps de rassembler toutes les forces de la résistance tisserande.

Tisserands contre Déchireurs

Les Créatifs culturels en France: ce petit livre conçu par l'association Biodiversité culturelle et paru en 2006[*] fut un des premiers à signaler l'émergence d'un phénomène de société pourtant décisif pour notre avenir: le mouvement des Créatifs culturels. Qui sont-ils? L'expression *Cultural Creatives* a été inventée par le sociologue américain Paul Ray et la psychologue américaine Sherry Anderson, et le mouvement rassemblerait déjà de 20 à 35 % des adultes des sociétés développées. Les créatifs culturels ont entrepris de créer une nouvelle culture, fondée sur la restauration de la qualité de tous les liens endommagés ou rompus: le lien d'écoute et d'estime entre soi et soi, le lien de solidarité et de fraternité avec autrui, le lien de symbiose avec la nature.

[*] *Les Créatifs culturels en France*, Éditions Yves Michel, 2006.

La notion même de lien n'est cependant pas si claire – elle est plurivoque. Elle renvoie d'abord à l'idée d'un rapport: «il y a un lien» d'analogie, de correspondance ou de causalité entre deux phénomènes. Elle désigne aussi de façon négative ce qui prive de liberté – tout ce qui attache, ligote, rend prisonnier ou dépendant. Elle exprime enfin, mais de façon positive cette fois, la *relation féconde* entre deux êtres (l'amitié par exemple). Ceux auxquels je donne ici le beau nom de Tisserands sont tous les recréateurs de ces liens nourriciers.

«Un tisserand est un artisan qui tisse divers types de fils pour en faire des étoffes. En tapisserie, le tisserand est un créateur d'œuvres textiles, tissées, qui en assure lui-même le tissage [*].»

Ces Tisserands œuvrent notamment dans trois directions, complémentaires et convergentes, qui sont présentées ainsi par Jean-Pierre Worms dans la préface de cet ouvrage sur les créatifs culturels [**]:

1. *Le lien retrouvé avec notre moi le plus profond, source de vitalité et d'inspiration créatrice*: «la valorisation croissante du "développement personnel" et l'intérêt pour toutes les démarches et tous les outils d'aide à l'autoproduction de soi» en parallèle avec «un recul, une méfiance et un rejet à l'égard de toute structure ou institution assignant de l'extérieur à l'individu son

[*] https://fr.wikipedia.org/wiki/Tisserand_(métier).
[**] *Les Créatifs culturels en France, op. cit.*, p. 10-11.

fonctionnent hélas comme une prophétie autoréali-satrice –, nouvelles guerres culturelles (*cultural wars*), érection de « murs de la honte » en plusieurs endroits du monde (Israël/Cisjordanie, États-Unis/Mexique, etc.), conflits autour des ressources (eau, terres cultivables, etc.), etc. Elle s'exprime à grande et à petite échelle dans le gouffre des inégalités toujours plus scanda-leuses entre riches et pauvres, aussi bien que dans le divorce entre une humanité prédatrice et une nature (ressources, éléments, animaux) devenue la «proie» sacrifiée à la monstruosité de nos appétits. Certes, dans le même temps beaucoup de nouvelles solidarités se manifestent – il en sera question dans ce livre. Malgré toutes les divisions entre les intérêts économiques, les classes sociales, les identités, etc., simultanément notre planète est entrée dans l'ère de l'interconnexion généralisée: mondialisation de l'information, de la culture, des grandes causes et mobilisations pour un monde plus juste, par les réseaux sociaux notam-ment. Mais ne soyons pas naïfs. L'interconnexion du monde, c'est aussi la mondialisation d'un capitalisme dérégulé qui soumet les États et les sociétés à la loi du marché – c'est-à-dire à l'appétit de profit sans limites de quelques «maîtres du monde». Ne cédons pas, par conséquent, à l'image publicitaire d'un «monde interconnecté» où «tous-les-peuples-de-la-terre-se-rencontrent-et-fraternisent-sur-les-réseaux-sociaux».

Oui cette nouvelle fraternité est heureuse, mais la réalité globale est nettement plus compliquée et préoccupante. Il n'y a aucune fatalité du bien : rien ne nous dit pour l'heure que la « mondialisation vertueuse » va finir par l'emporter sur la « mondialisation malheureuse ». Il ne s'agit pas d'être pessimiste mais lucide : la Déchirure du monde pourrait encore se développer beaucoup plus tragiquement à partir de la somme impressionnante des « mauvais effets papillons » qui s'observent déjà, c'est-à-dire de la propagation au reste du monde des conflits locaux qui agitent la planète (mondialisation du jihadisme) et de l'effet général produit par un capitalisme qui génère partout une nouvelle lutte des classes, de nouveaux apartheids, etc. Notre monde qui fraternise et se solidarise en se connectant se divise aussi dans des proportions tout aussi inquiétantes. Comme conséquence tragique de ces divisions, il y a ce que Hannah Arendt nommait déjà en 1951 * l'« isolement absolument insupportable » de chaque être humain. C'est un « isolement » qui aboutit à une impuissance : « la créativité humaine – c'est-à-dire la possibilité d'ajouter quelque chose de soi au monde – est détruite » lorsque trop de fils de solidarité qui nous reliaient aux autres sont au point de rupture, ou déjà rompus.

* *Les Origines du totalitarisme*, Gallimard, Quarto, 2002, p. 833.

Vers l'union d'une grande cause tisserande

C'est dans ces circonstances particulièrement difficiles que naissent aujourd'hui toutes les vocations de Tisserands. «Là où est le péril croît aussi ce qui sauve», comme l'écrivait Hölderlin: au moment même où la mondialisation, en équilibre très précaire, très instable entre tout ce qui se connecte et tout ce qui se déconnecte, peut encore déboucher sur le meilleur ou le pire, voilà qu'apparaît comme par miracle, et comme par hasard au rendez-vous, une génération spontanée de Tisseurs de monde entrés en lutte contre la Grande Déchirure. On pourrait s'en réjouir, mais ce serait prématuré, car ces Tisserands ne sont pour l'heure ni assez nombreux, ni assez conscients d'eux-mêmes, ni assez rassemblés pour renverser la tendance. Chacun des Tisserands sur le tissu du monde est ainsi comme un tout petit ouvrier courageux mais trop isolé dans tel ou tel petit coin d'un immense tapis dont la taille le dépasse infiniment. Malgré, donc, l'effort obstiné de tous ces petits Tisserands dispersés, ce qui se déchire reste encore trop important par rapport à ce qui se répare – et si ça continue comme ça, à la fin, la Déchirure du monde risque de le mettre en lambeaux.

On n'en est pas là, heureusement, et j'écris ce livre avec la conviction que les Tisserands peuvent gagner et vont finir par l'emporter. Mais l'optimisme est une responsabilité. Que faire, dès lors, pour que ce soit le cas ? La réponse théorique est évidente… mais le problème sera comme toujours de passer de la théorie à la pratique ! De toute urgence, nous avons besoin que les Tisserands se multiplient indéfiniment et – parce que le nombre ne fait pas tout – qu'ils partagent et propagent le plus possible la conscience du sens de leur lutte. Nous avons besoin de réaliser l'union d'une grande conscience tisserande, d'une grande cause tisserande puissante et rayonnante, grâce à laquelle l'évolution globale du monde humain va pouvoir basculer du côté d'une réparation générale de tous les liens de solidarité, de fraternité, de symbiose.

L'objectif de ce livre sera donc de mobiliser autant que d'expliquer. Je ne suis pas un philosophe qui se retire du monde pour réfléchir abstraitement dans son coin. Ma réflexion est aussi militante que méditante, aussi politique que philosophique. En exposant ici de la façon la plus accessible au plus grand nombre de gens l'importance de ce que font les Tisserands, j'espère susciter le plus possible de vocations. Favoriser le plus possible de nouveaux engagements. Ce sont eux les grands résistants du temps présent, eux qui redonnent déjà et qui vont redonner encore plus demain à notre époque désenchantée la dimension d'épopée qui lui manque, le souffle qui lui fait défaut.

Les Tisserands commencent tout juste de réinscrire le monde des hommes dans une grande histoire collective, de nous remettre tous sur un grand chemin de sens – où nous pouvons nous aventurer ensemble, librement et fraternellement! Et c'est bien de ça dont nous avons aujourd'hui le plus besoin. Cyril Dion, l'auteur de *Demain*, parle justement de ceux que j'appelle Tisserands: «Construire du sens, de l'enthousiasme, des histoires, qui parlent aussi bien à nos intelligences qu'à nos cœurs[*]!» Or le Grand Récit qu'il nous faut est là, sous nos yeux: c'est la Grande Bataille qui vient de s'engager dans tous les domaines entre ceux qui déchirent et ceux qui tissent. Tisserands contre Déchireurs. L'affrontement fait rage sur tous les fronts, et notre avenir à tous en dépend.

À première vue, la lutte est inégale, les Tisserands sont battus d'avance… Mais est-ce si sûr? Et si en réalité ils ne connaissaient pas leur force, qui est d'abord dans leur nombre sans cesse croissant et surtout – surtout – dans l'énergie générée par la recréation des liens? Il est trop tôt donc pour deviner l'issue de ce grand affrontement au sommet. Pour l'heure, l'urgence est à la mobilisation générale. On ne peut pas se permettre de rester passif ou spectateur de la bataille. Se positionner,

---

[*] Cyril Dion, *Demain. Un nouveau monde est en marche*, Actes Sud, Domaine du possible, 2015, p. 16.

choisir son camp, se demander ce qu'on peut faire pour participer à cette cause mondiale relève de la responsabilité de chacun. Comment agir? Avec qui? La réponse est simple. Partout où un lien s'est rompu, et avec tous ceux qui s'en indignent. Que chacun entreprenne donc de lutter là où il est, dans chaque quartier, chaque commune, chaque association ou milieu professionnel, chaque pays, chaque culture.

Sans eau, sans terre, sans lumière

Tout ce qui nous relie nous rend plus forts. C'est une évidence pour tout le monde. Qui n'est pas convaincu d'avance, en effet, que «créer du lien» est une bonne chose? Et puis, qui n'est pas persuadé aussi d'avoir déjà tous les liens – famille, amis, etc. – dont il a besoin? On pourrait donc me rétorquer que les Tisserands enfoncent des portes ouvertes! Mais combien de nos liens nous nourrissent vraiment? Combien nous inspirent et élèvent notre niveau de conscience? Et d'autre part, quand on veut passer à l'action, c'est-à-dire travailler effectivement à raccommoder le tissu déchiré du monde, par où commence-t-on? Il ne suffit donc pas de la conviction théorique qu'«il faut recréer du lien». Ici comme ailleurs se pose le problème du passage à l'action. Comment recréer concrètement du lien? Comment faire converger aussi une multitude d'initiatives isolées, qui vont dans ce sens, pour leur donner la puissance d'une mobilisation collective? Mais pour passer à l'action, il faut surmonter la difficulté que représente la compréhension de *ce qu'est un lien nourricier, une vie bien reliée, une civilisation du lien.*

Le Triple Lien, à soi, à autrui et à la nature, est nourricier parce que sans lui notre ego et notre humanité se dessèchent et dépérissent comme une plante laissée trop longtemps *sans eau, sans terre, sans lumière*:

1. Le lien à soi: notre «petit moi» se rabougrit si nous vivons sans lien intérieur avec notre «moi des profondeurs», qui est la *source* ou *ressource* de vitalité, d'inspiration, de sagesse et d'amour au cœur de nous-mêmes, mais dont nous sommes spontanément inconscients. Combien d'entre nous ont creusé assez loin, avec assez d'acharnement et de confiance dans la terre noire de leur intériorité pour y déterrer la source bouillonnante d'eau vive? Combien ont tendu l'oreille assez profondément pour entendre le chant de cette source intime? Et comment peut-on espérer être heureux si l'on ne vit qu'à la surface de soi-même? Sans jamais faire s'épouser notre âme et notre conscience? *Sans jamais faire respirer notre âme à l'extérieur?* Sans ce que Mohammed Iqbal appelle l'«ouverture des sources de vie cachées dans

les profondeurs du moi humain *» ? Ces sources souterraines sont l'*eau du petit moi*. Celui-ci en effet est comparable à une «graine d'être» – la semence de notre individualité qui a besoin d'être arrosée pour grandir.

2. Notre petit moi se rétrécit un peu plus si nous négligeons notre lien social, qui est sa deuxième source/ressource de vitalité. Que se passe-t-il en effet si nous laissons le petit moi s'isoler, se replier sur lui-même de façon individualiste? La culture du lien de partage, de fraternité, de dialogue, développe notre humanité – ce beau mot désignant à la fois «le fait d'appartenir à l'espèce humaine» et «le fait de se conduire fraternellement envers son semblable». L'un est la conséquence de l'autre: je m'hominise en m'humanisant – plus je me conduis de façon humaniste, plus mon essence d'homme s'affirme en moi. Cette qualité du lien à l'autre nous alimente autant que la qualité du lien à notre propre intériorité. C'*est la terre du petit moi*. Comme «graine d'être», celui-ci a besoin pour grandir non seulement de l'eau des sources intérieures mais du terreau ou de *l'humus* des relations sociales qui vont lui permettre de s'*humaniser*.

---

* Mohammed Iqbal, *Reconstruire la pensée religieuse de l'islam*, Éditions du Rocher, Traditions, 1996, p. 90.

3. Notre petit moi finit enfin de s'amoindrir et de mourir à petit feu s'il subit l'asphyxie d'une existence urbaine sans contact suffisant avec l'oxygène physique et spirituel de la nature. Nous ne concevons même plus l'affaiblissement vital que cela représente. Nous étouffons dans la cage de nos villes de béton, de fer, de verre, de plastique et d'acier, polluées de surcroît. En reprendre conscience devrait être un réflexe de survie. Plus on vit au milieu de matières mortes, plus on se perçoit comme mortel. À l'inverse, *plus on va vers la nature qui se renouvelle infiniment, plus on se sent participer à une Vie plus vaste* – plus on fait l'expérience de ce que stoïciens et épicuriens appelaient une «dilatation du moi dans la nature universelle*». La nature est *la lumière du petit moi*, qui l'éclaire sur la possibilité même d'un plus haut degré d'existence et de vitalité. En nous sentant appartenir au Grand Tout, ne découvrons-nous pas aussi que nous sommes en quelque sorte *l'œil de l'univers*, comme disait Platon?

L'eau, la terre, la lumière, du Triple Lien m'apprennent à participer à une vie infiniment plus vaste. À me rendre attentif et disponible à la vie sous toutes ses formes. Hors d'elle, le petit moi serait comparable à un organe absurde, inutile et impuissant, posé par terre

---

* Pierre Hadot, *Exercices spirituels et Philosophie antique*, Albin Michel, 2002, p. 292.

le plan du progrès politique ni du progrès technique qui ont fait avancer les XIXe et XXe siècles mais sans proposition spirituelle – et donc sans rien qui nous fasse sortir réellement de l'orbite des époques religieuses. Là c'est autre chose. Car la vie Tisserande est une vraie alternative au religieux, qui le concurrence directement sur son terrain et qui va s'y révéler encore plus forte que lui. Ce terrain, c'est celui du *sens de la vie* et de *l'être plus* (plus humain, plus conscient, plus vivant) – et non de l'«avoir plus». On attendait en vain depuis le siècle des Lumières une telle force de proposition qui rivalise pleinement avec la religion. Si jusqu'ici celle-ci s'est maintenue, et revient actuellement occuper tant d'espaces, c'est justement faute d'un tel substitut. Mais à présent qu'il a émergé, même s'il y a encore des croyants dans l'avenir, les systèmes religieux vont probablement subir une désagrégation de plus en plus rapide et irréversible. En effet, face à la liberté offerte par la «vie reliée», les limites spirituelles de ces systèmes vont apparaître au grand jour et se révéler dépassées : leurs lois, leurs interdits, leurs dogmes… tout ce qu'ils imposent aux individus va prendre un terrible coup de vieux. De la même façon, dans nos sociétés, tout ce qui n'est pas mouvant mais fixe est frappé d'obsolescence. Dans notre civilisation, tout bouge avec l'individu, tout se déplace avec lui : le «mobile» a remplacé le téléphone fixe, internet la bibliothèque, etc.

Bien que la notion de «spiritualité» soit devenue une sorte de fourre-tout, il me semble donc qu'elle peut encore servir quelque temps. Mais dans mon esprit il n'est pas question de l'imposer. Elle n'est pas du tout indispensable à tous les Tisserands! Pour telle ou telle raison, certains d'entre eux ne la reprendront pas à leur compte. Ils ne parleront pas de la vie reliée comme «vie spirituelle». En quoi cela serait-il critiquable ou préjudiciable? Cela ne les empêchera pas d'être solidaires avec les autres Tisserands dans l'idéal commun de la réparation du tissu déchiré du monde. Que les uns parlent de «vie spirituelle» là où les autres parlent de «vie qui a du sens», peu importe. Que les uns parlent de «présence de Dieu» lorsqu'ils font l'expérience de quelque chose qui les appelle et les dépasse, que d'autres parlent de vie universelle, et d'autres encore de grande fraternité humaine, quelle différence au fond? L'important est de se retrouver tous ensemble dans quelques convictions fondamentales: chacun d'entre nous est relié à plus vaste que lui, qui le fait grandir; le petit moi n'est rien tout seul; seule une nouvelle culture des liens nous fera sortir de toutes nos fractures – intérieures, sociales, écologiques.

Chacun des fils du Triple Lien contribue à nous faire faire l'expérience dont les religions ont voulu se réserver jusqu'ici l'exclusivité: nous faire grandir en humanité et nous appeler vers le mystère de l'existence. En effet, chacun d'eux nous transporte vers des inconnus, des lointains et des ailleurs dont la proximité nous métamorphose : l'inconnu des abysses de notre intériorité ; le lointain de mon prochain humain, à la place duquel j'éprouve de la difficulté à me mettre ; l'ailleurs de l'immensité de la nature et des galaxies. Plus chacun des trois liens est ainsi tendu «au plus loin», plus il nous nourrit en élargissant notre cœur, en ouvrant notre champ de conscience. Ainsi le Triple Lien non seulement nous libère-t-il de l'enfermement dans le petit moi, mais libère-t-il en nous une vie infiniment plus vaste. «Libérer de», «libérer en», ou «la double vertu des liens qui libèrent». C'est en effet à une véritable libération *en moi*, à une véritable dilatation et transformation *vécue en mon être même*, que j'assiste lorsque je tisse l'un ou l'autre des trois fils du Triple Lien : lorsque je m'approfondis en m'aventurant à l'intérieur de moi-même, loin de la surface, dans la méditation ou le recueillement ; lorsque je m'ouvre à une fraternité plus universelle, qui m'apprend à appeler «mon frère» ou «ma sœur» non seulement mon coreligionnaire, ou celui qui vient du même pays que moi, mais tous mes semblables humains ; lorsqu'enfin dans la contemplation de la nature je m'y sens intégré comme la partie d'un tout.

Dès lors qu'elle nous offre ces chances, la culture du Triple Lien apparaît comme une vie spirituelle bien plus libre et vaste que n'importe quelle religion avec ses rites et ses dogmes. La spiritualité tisserande élève l'esprit et ouvre le cœur d'une façon particulièrement ample, grâce à une infinité de liens nourriciers. Rien ne la prédéfinit donc : elle est aussi ouverte, riche, inventive que la possibilité de chacun de trouver des relations qui l'inspirent et le font grandir : lire un livre ou découvrir un poème aussi bien que prier, se recueillir ou méditer ; dialoguer, innover ou s'engager avec d'autres dans la vie sociale et professionnelle aussi bien que manifester de la compassion ou de la charité ; et pas forcément chercher un dieu dans la nature mais tout aussi bien s'émerveiller des ruisseaux et des étoiles, et s'obliger à être écologiquement responsable… jusque dans la mort, comme en témoigne la naissance du mouvement pour l'«humusation» lancé outre-Quiévrain : «Lorsque nous mourons, nous n'avons, en Belgique, que deux options pour notre corps : l'enterrement et l'incinération. Or, l'une et l'autre sont très polluantes. Mais il existe une troisième solution, que nous appelons l'*humusation* : il s'agit d'un processus contrôlé de transformation des corps par les micro-organismes dans un compost composé de broyats de bois d'élagage, qui transforme, en douze mois, les dépouilles mortelles en humus sain et fertile […] En une année, l'humusation du défunt, réalisée sur un terrain réservé et protégé qui aura pour nom moi, je pense qu'«il faut bien se résigner à employer ce terme» bien qu'il «déroute un peu le lecteur contemporain [...] parce que les autres épithètes possibles: "psychique", "moral", "éthique", "de pensée", "de l'âme" ne recouvrent pas tous les aspects de la réalité que nous voulons décrire», à savoir l'effort par lequel l'individu «se replace dans la perspective du Tout» ou «se dépasse en s'éternisant». Je l'utilise d'autant plus résolument que le «besoin de sens» caractéristique de notre époque ressemble furieusement à ce qu'on a appelé de tout temps une «soif» ou une «crise» spirituelle. Il est évident en effet qu'aujourd'hui de plus en plus de gens ne se contentent plus des satisfactions matérielles, matérialistes, offertes par la société de la consommation et des loisirs. Ce sont à peu près toutes les sphères du monde profane moderne qui semblent aujourd'hui frappées de désenchantement: la politique, l'économie, le travail, la vie dans les villes, etc. Un besoin à la fois immense et vague de chercher au-delà de tout ça saisit nombre de consciences, qui se souviennent alors que ce qui est censé prendre en charge ce type d'aspiration supérieure est bien ce qu'on a toujours appelé le «spirituel». André Malraux aurait donc bien eu raison en affirmant que «le XXIe siècle sera spirituel ou ne sera pas».

Comme pour confirmer cette sorte de prophétie, on constate que ce siècle n'a pas encore commencé faute les éducations au questionnement sur le sens de la vie? Comment allons-nous faire pour qu'en la matière nos jeunesses ne soient pas tentées de revenir à des traditions religieuses de moins en moins adaptées au temps présent? Comment allons-nous éviter durablement que certains se radicalisent en écoutant les sirènes de tel ou tel *jihad* (prétendue «guerre sainte»)?

On aurait tort de penser, au sujet de ces «jeunes radicalisés», qu'ils sont des cas isolés. Ils sont, certes, un exemple extrême, mais ils sont également très révélateurs de ce qui manque aujourd'hui cruellement à notre jeunesse: quelque chose de grand à quoi consacrer sa vie, un ou des idéaux qui susciteraient des convictions fortes, un ou des grands récits qui réenchanteraient l'existence en ouvrant devant nous un horizon d'espérance, de sens profond, de fraternité ou de communion sans frontières! Au lieu de tout cela, nous avons le vide, l'absence de tout projet de civilisation capable de rassembler au-delà des barrières de religions, de tribus sociales, de la divergence des intérêts et des centres d'intérêt. Comment s'étonner dès lors que Daesh profite de ce vide, Daesh et toutes les radicalités religieuses, du simple néoconservatisme jusqu'à l'intégrisme le plus obtus? Tous ces marchands d'obscurantisme font ce que nous ne savons plus du tout faire. Ils produisent de grands récits, invoquent de grandes images, fabriquent des mythologies, suscitent de grandes espérances : la « guerre sainte » des pieux et des justes contre un monde matérialiste et impie, l'obéissance, illuminée par la foi, à la volonté des dieux, le triomphe final du bien lors du jugement dernier, la fraternité sans frontières d'une communauté de croyants, etc. En cette période de famine idéologique, la « boîte à outils » religieuse revient naturellement pour fournir du sens clés en mains, du prêt-à-penser et du prêt-à-espérer.

Face à cela, accuser ne suffit pas. Certes, Daesh est monstrueux, certes, le « retour du religieux » sous toutes ses formes n'est pas la solution au déficit actuel de la proposition de sens – la radicalité qu'il affiche souvent étant une violence agonistique, le signe d'un chant du cygne. Mais que proposons-nous à la place ? Quel discours assez puissant pour moucher comme une chandelle la flamme menteuse de ces fausses promesses ? Notre jeunesse ne s'intéresse à rien ? Elle est dépolitisée ? Elle reste indéfiniment dans l'adolescence ? Elle est séduite par des discours radicaux ? Mais qu'avons-nous de grand à lui offrir ? Si elle ne veut pas du monde des adultes, c'est que nous ne lui apportons à peu près plus rien qui relève de l'essentiel, c'est-à-dire une vraie proposition existentielle ! Rien qui lui indique comment faire de sa vie un chemin ascendant vers le Beau, le Vrai, le Juste et le Bien – pour dire les choses comme Platon. Au contraire, nous la laissons végéter dans des objectifs médiocres, et dans des alternatives fermées entre des religions obsolètes et un matérialisme dominant, sans aucune échappée belle vers des lendemains qui chantent, sans aucune voie de transcendance...

Encore une tâche pour les Tisserands. Ils ont pour responsabilité première et cruciale de s'adresser à la jeunesse... dont une partie est déjà elle-même tisserande! Pour qu'au sein de celle-ci se découvrent encore plus de vocations. Que tous ceux qui sont déjà Tisserands parmi les aînés et les cadets s'unissent donc pour faire porter leur voix jusqu'aux autres! C'est comme ça que demain ils seront de plus en plus nombreux dans les générations qui montent à lutter, tels de nouveaux Jedi au service de la Force – contre la domination du côté obscur qui déchire aujourd'hui le monde et qui a détruit tant de chemins vers le ciel. La vie du Tisserand n'a rien à envier aux voies spirituelles du passé. Au contraire. De façon incomparablement plus large et libre, elle nous dit en effet que la vie a un sens profond partout où il y a un beau lien à nouer – un lien susceptible de mettre notre terre intérieure en culture, de faire grandir notre «graine d'être» jusqu'à ce qu'elle devienne un arbre immense dont les racines vont au centre de la Terre et dont la ramure touche la cime du cosmos. Chaque «beau ou bon» lien contracté fait «pousser» un peu plus en nous le fruit le plus précieux:

la conscience de «ce qui en l'homme passe infiniment l'homme», selon l'expression de Blaise Pascal. Jusqu'où peut nous conduire demain une vie multi reliée à toutes les connexions que lui offre le monde? Peut-être au-delà même de notre finitude? Grâce aux liens, notre être s'étend au-delà du petit moi comme s'il lui poussait des racines, des ramifications et des branches jusqu'à ce qu'il devienne comme cet Arbre-Monde (*Shajarat al Kawn*) par lequel les soufis (les initiés en islam) symbolisaient l'Homme parfait, l'homme-univers et créateur d'univers.

Chacun porte en lui la «graine d'être» d'un Arbre-Monde unique. Chacun de nous est une singularité. Chacun de nous a la responsabilité de la découvrir, notamment en trouvant les types de liens qui la cultivent. C'est en trouvant ces liens qui *me* libèrent que je me trouve. Et bien entendu le lien à soi peut être trouvé dans le lien à autrui, ainsi que dans le lien à la nature: chacun des trois fils du Triple Lien reconduit aux deux autres. Par exemple Christophe André parle de la «méditation de compassion[*]» des bouddhistes, exercice grâce auquel l'âme apprend à modifier son intention et sa perception d'autrui vers plus d'empathie. Cette pratique offre ainsi l'occasion de développer simultanément le lien à soi et le lien à l'autre...

[*] Christophe André, *Méditer, jour après jour*, L'Iconoclaste, 2011.

Mais attention aux «voies toutes tracées et aux professeurs de pratique spirituelle» qui recommencent à pulluler aujourd'hui! Il n'y a pas de «technique» ni de «recette» qu'il suffirait d'appliquer pour cultiver sa vie reliée. Comme le dit ironiquement le Tao, «La voie, qui est une voie, n'est pas la Voie [...] On regarde, on ne voit pas la Voie; son nom se prononce le Manque. On écoute, on n'entend pas la Voie; son nom se prononce le Subtil. On cherche, on ne touche pas la Voie; son nom se prononce le Vide [*].»

À chacun de trouver sa façon propre de nouer les trois fils du Triple Lien. Chacun a la responsabilité d'être l'auteur de ses liens, de trouver ceux qui vont le libérer *lui*. Les voies de la vie reliée sont innombrables. Il y en a autant que d'êtres humains, de singularités humaines. C'est pourquoi la vie tisserande échappe à toute dogmatique, à tout système et esprit de système. Elle n'est pas une religion supplémentaire. Il n'y a pas de gourous de la vie reliée. Si quelqu'un vous dit «je vais te dire comment tu dois te relier spirituellement», «j'ai inventé ou retrouvé dans les enseignements du passé une méthode qui marche», passez votre chemin... Cette proposition même indique en effet qu'il n'a pas compris grand-chose à la spiritualité du lien.

---

[*] *La Voie rationnelle*, traduction de Matgioi, Éditions traditionnelles, 1941, p. 20, 28-29.

Chaque Tisserand est en même temps associé à tous les autres et souverainement libre. Il appartient à la fraternité tisserande sans cesser de s'appartenir à lui-même. Il réalise la quadrature du cercle : vivre bien relié et délivré des liens qui ligotent.

Ce qui manque encore aux Tisserands

Les Tisserands vont progresser dans la conscience de l'égalité « lien = progrès d'être ». Les uns, sur le plan intérieur, les autres, sur le plan social ou écologique, tous commencent seulement à conscientiser une conviction directrice : seul un petit moi bien relié peut croître en vitalité, transcender ses limites ordinaires. Le Triple Lien est la condition de ce que Teilhard de Chardin appelait notre « humanisation », c'est-à-dire la formation toujours en cours de notre humanité – l'« anthropogenèse ». Par conséquent, le critère de développement d'une société, et plus largement de la civilisation humaine, est simultanément la qualité des liens qu'elle met à la disposition de chacun de ses membres et la qualité du processus d'humanisation qu'elle leur offre. L'être humain est « perfectibilité » indéfinie, disait Rousseau, et les liens libèrent en nous cette perfectibilité. Ils nous élancent dans un perpétuel progrès d'être où s'exprime le propre de notre nature humaine – cette nature paradoxale puisque non déterminée d'avance mais toujours en voie d'actualisation, de création et recréation continuelle.

Pour ces raisons, le petit ego ne peut pas se permettre de vivre replié sur lui-même comme dans une minuscule maison hermétiquement close, cette monade individuelle « sans portes ni fenêtres » dont parlait Leibniz. Il gagne au contraire à s'ouvrir au maximum au vent des larges. À chercher le secret de lui-même en s'élargissant vers ce qui le dépasse. L'être humain est au départ un noyau de vie, qui se fortifiera et s'éternisera sous mille et une formes... jusqu'à la métamorphose ultime au-delà de toutes les formes... s'il noue et voue sa vie entière aux liens nourriciers. Alors, « l'Être au-delà » qui sommeille en lui se réveillera, surgira de ce noyau, s'épanouira comme une fleur sublime – le Lotus sacré des bouddhistes. Mais pour cela notre petit ego a besoin d'entendre et de répondre à l'appel de tous les êtres qui le sollicitent : l'appel intime du moi profond, l'appel d'amour et d'amitié des autres, l'appel de la nature infiniment créatrice. Mais combien de Tisserands ont déjà une claire conscience de ce pouvoir « magique » des liens ? Contrairement à ce qu'on a répété *ad nauseam* pendant ces deux derniers siècles en Occident, il y a bien du magique dans l'univers. La magie, en l'occurrence, c'est la porte mystérieuse que nous ouvre le Triple Lien vers l'infini du champ des possibilités et métamorphoses de la vie, cet infini qui est «ce sans quoi un homme ne peut vivre, ce sans quoi une communauté, un groupe d'hommes, ne peut pas exister [...] quelque chose de si fondamental qu'en être privé serait périr*». Encore une question de substance *vitale*. Or cet infini vital est ce à quoi le Triple Lien nous donne accès.

Voici une illustration de ce lien qui nous infinitise. Un symbole universel, qu'on trouve de la Mésopotamie et de l'Égypte anciennes jusqu'à l'antiquité grecque, nous révèle son pouvoir. C'est celui de l'ouroboros, ce serpent mythologique qui s'enroule sur lui-même pour se dévorer. Cette image n'est négative qu'en apparence: le serpent qui se mord la queue et qui s'enfonce en lui-même pour se dévorer figure en réalité la quête intérieure, la plongée au cœur de soi. Il représente donc l'individu qui est allé fouiller ses propres entrailles, sonder sa propre nuit, pour finir par accoucher – autant que faire se peut – d'une certaine conscience et de la présence de son moi profond. J'appellerai parfois celui-ci notre «Être essentiel» pour le distinguer de notre «être superficiel», c'est-à-dire de notre moi social et de notre conscience ordinaire de nous-mêmes. Comme les maîtres hindous de l'*advaïta*

* Michel de Certeau, *L'Expérience spirituelle. L'étranger ou l'union dans la différence*, Desclée de Brouwer, 1970, p. 9.

vedanta (école de la non-dualité) et les soufis qui m'ont formé sur ces sujets, je m'appuierai de la même façon sur la distinction classique (par exemple dans l'hindouisme) entre le «moi» et le «Soi»[*] qui est la personnalité immortelle et suprasensible, foncièrement insondable, dont notre individualité dans ce monde est une simple incarnation transitoire. Au moment où cette individualité établit le contact avec le Soi, en prenant conscience de sa présence en elle et de son activité à travers elle, il lui semble qu'elle a trouvé une nourriture infinie, une source de vitalité et de régénération sans limites – «c'est de sa propre substance que le serpent, d'après la vieille fiction, se reconstitue à mesure que l'usure du temps et de la vie agit sur lui [...] Cette restauration de l'être par lui-même a fait de l'ouroboros, dans l'ancien monde, l'emblème de la perpétuité du renouvellement de la vie[**].» L'individu *devenu ouroboros* est ainsi alimenté du dedans par son *chaos intime* – «chaos» au sens originel, non pas «désordre» mais «fond primordial», abysse originel ou matrice créatrice d'où surgit toute chose, à commencer par la lumière, le temps et la matière. De cette matrice, le Tao dit: «Sans nom, c'est l'origine du ciel et de la terre;

[*] René Guénon, *L'Homme et son devenir selon le Vedântâ*, Éditions traditionnelles, 1971, p. 29-40.

[**] Louis Charbonneau-Lassay, *Le Bestiaire du Christ*, Albin Michel, 2006, p. 803.

avec un nom, c'est la mère des dix mille êtres [...]
C'est la Porte par où passe le nombre infini des êtres
créés*...» Lorsque l'être humain se met en position de
recevoir le *souffle de vie* qui remonte en lui de son tré-
fonds créateur, alors il se retrouve capable de se nourrir *de lui-même* infiniment. Grâce à cet afflux d'être et
à cet influx d'énergie, sa vie passe du fini à l'infini, elle
sort de la finitude pour aller vers l'immortalité. Voilà
ce que symbolise le serpent-archétype : non pas la stu-
pidité de celui qui se mangerait lui-même mais le lien
nourricier entre le petit moi et le Soi. Soulignons enfin
que l'ouroboros replié sur lui-même dessine un cercle,
ou plutôt une spirale qui est l'image du processus d'in-
finitisation de soi qu'il suggère.

Il y a aussi Narcisse à réinterpréter.

On peut proposer une réinterprétation analogue
du mythe de Narcisse, en rupture avec sa compréhension habituelle. Lorsqu'il contemple son reflet dans
l'eau du lac, en tombe amoureux et y trouve un plaisir
démesuré, au point de tomber en avant, ce n'est pas
forcément par vanité – par «narcissisme». Essayer de
saisir sa propre image, se regarder dans le miroir peut
signifier également la volonté de se relier à soi, l'effort
de se scruter pour mieux se connaître, et la fascination
de Narcisse peut correspondre alors à l'intuition qu'il

---

* *La Voie rationnelle, op. cit.*, p. 20 et 28-29.

est nécessaire de s'examiner sans relâche pour réussir à déchiffrer l'être profond que notre visage nous cache et nous révèle à la fois. Narcisse, comme l'ouroboros, est ainsi entraîné dans un infini retour sur soi. Mais au lieu d'être négatif, ce retour sur soi symbolise le mouvement de tout être humain qui cherche à aller de la surface vers la profondeur de soi, et qui se trouve saisi d'un *vertige* lorsqu'il prend conscience de son infinité. Alors, il tombe; mais est-ce vraiment une chute? Au sens littéral oui, au sens métaphorique pas nécessairement. C'est plutôt l'inverse, une ascension. Tomber dans l'eau du lac, en effet, pour Narcisse, peut signifier la plongée en soi dans ce que je nomme notre moi profond et donc en réalité la montée vers notre Être essentiel.

Ce type de méditation symbolique donne accès à la compréhension du pouvoir des liens. Faute le plus souvent d'une telle culture des héritages anciens, cette conscience n'est ni assez claire ni assez répandue parmi les Tisserands. Il leur manque la compréhension de la nature exacte de ce à quoi ils touchent. Il leur manque aussi, par conséquent, la possibilité de s'unir autour de cette connaissance. De cette *unification* des Tisserands dépendra l'issue de leurs engagements. Leurs combats restent pour l'heure trop ignorants et disparates, et leurs démarches se font sur des plans si différents que cela contribue à les aveugler en les empêchant de se reconnaître mutuellement. Tous ces premiers lieurs ne sont pas assez liés entre eux. Il leur manque la conviction fondamentale qui les réuni-rait. On peut en énoncer le principe ainsi : la vie bien reliée est un dispositif miraculeux grâce auquel nos existences passent du fini à l'infini ; plus les liens sont nombreux et puissants, plus ce passage s'accélère. Les Tisserands resteront séparés en familles étrangères aussi longtemps qu'ils ne verront pas qu'ils participent tous à ce « passage à l'infini » de la vie humaine. Les « méditatifs », qui travaillent aux liens vers l'intérieur, les « politiques », aux liens vers l'extérieur, trouveront leur unité lorsqu'ils seront devenus conscients qu'ils concourent tous au même geste essentiel : assurer la circulation de nos vies entre le fini et l'infini.

Cette sagesse du lien manque chez trop de Tisserands. Pour l'instant, chacun perçoit son effort de façon beaucoup trop faible, sans se douter de sa puissance potentielle. Et chacun tire de son côté tel ou tel signal d'alarme : les uns, dotés d'une culture plus philosophique ou religieuse, tentent d'alerter l'huma-nité sur le danger qu'elle court en ne cultivant plus le lien entre le moi social et le moi profond. Les autres, de culture plus politique, s'indignent de la destruc-tion de solidarité et de fraternité, ou du lien perdu à notre environnement naturel. Il manque manifeste-ment à ces « familles de Tisserands » cette conscience collective que je réclame ici. C'est pourquoi je leur ai donné ici ce nom *commun* de «tisserands» – fort de la conviction qu'une chose à besoin d'être nommée pour parvenir à une vraie conscience d'elle-même, et à une vraie existence. C'est aussi la raison pour laquelle je souhaite que ce livre soit pour eux une sorte de *Manifeste des Tisserands* qu'ils se passent de main en main.

Pour une nouvelle anthropologie

Les Tisserands déjà engagés dans la clarification de ce qu'ils font sont pour l'heure en avance sur le reste de la civilisation. Cela leur confère par conséquent une responsabilité d'éclaireurs et d'inspirateurs. Il leur revient de faire entendre aux masses une évidence première : *le petit moi tout seul n'est rien.* Ce premier message sera dans un premier temps difficile à faire entendre, et cela pour deux raisons.

D'une part, les foules contemporaines sont toujours asservies à la représentation dominante que l'homme «doit se faire tout seul»… La communication des Tisserands va donc se heurter frontalement à un premier obstacle majeur : le conditionnement individualiste de la psyché majoritaire. L'opinion commune (la *doxa*) se figure la vie sociale comme une compétition

D'autre part, et de façon contradictoire, beaucoup se disent: «je ne suis pas tout seul, j'ai un réseau social, j'appartiens à ce que Michel Maffesoli appelle une "tribu sociale"» – communauté réelle ou virtuelle rassemblée dans la même passion (musique, sport, technologie, etc.), la même religion, le même art de vivre, etc. Notre société, qui isole beaucoup les individus les uns des autres, les rapproche donc aussi, dans le même temps, en les classant et en les regroupant par identités, par appartenances. Mais ce communautarisme est une forme étrange, paradoxale, d'individualisme à plusieurs, et de solitude à plusieurs: on vit isolé, dans la société immense, comme un groupe distinct qui ne fraye pas avec les autres, puisqu'ils n'ont ni les mêmes valeurs, ni le même sacré. Au sein de la «tribu» contemporaine, l'individu a ainsi seulement l'illusion réconfortante d'être bien relié aux autres. Car la force même du lien qui le relie à son petit groupe le sépare de tous les autres! Il est par conséquent à moitié socialisé, puisqu'il l'est toujours d'une façon qui à la fois l'inclut socialement et l'exclut socialement – en le «rivant» à un groupe qui a en quelque sorte fait sécession vis-à-vis de la société entière, enfermant tous les «je» dans le même moule: la tribu, identité ou communauté sociale forme un «nous» sans altérité interne, un «nous» où tous ont le même «je»! Je considère cela comme «la malédiction de l'identité»

– notion qui donne le sentiment d'être quelqu'un, et d'appartenir à une entité sociale, mais au prix de cette sécession et de cette uniformisation.

Nous avons en fin de compte une société très malade, dans laquelle le lien social est doublement ou triplement en crise : d'un côté, la loi de la jungle, qui livre chacun à la compétition de tous contre tous, et un fonds culturel, qui enseigne la défiance à l'égard du groupe qui peut embrigader ; de l'autre, des tribus sociales, qui offrent un semblant de socialisation dont le résultat objectif est de laisser se constituer, juxtaposés les uns aux autres, des groupes-tribus qui coexistent dans l'indifférence mutuelle. Par bonheur, de plus en plus de consciences voient que nous sommes arrivés au bout de ces dysfonctionnements, au bout de cette logique séparatiste, de division individualiste et communautariste.

C'est en particulier le préjugé selon lequel on « ne peut pas faire autrement », parce que « l'homme est un loup pour l'homme », qui se heurte à plus de scepticisme et de contestations qu'auparavant. Mais qui voit une autre option ? Qui a autre chose à proposer ? C'est la chance des Tisserands. Ils sont l'avant-poste d'un énorme mécontentement grondant en sourdine dans nos sociétés, qui n'en peuvent plus de la lutte de tous contre tous et de l'individualisme. Mais ils savent que la rivalité n'est pas la loi naturelle et insurmontable des sociétés humaines, seulement une croyance qui n'a que trop duré. Ils voient que oui, justement, il est possible de vivre ensemble autrement. Selon d'autres lois. En complétant la première évidence déjà largement partagée – le petit moi tout seul n'est rien – par une seconde, porteuse d'une nouvelle culture sociale : grâce au Triple Lien, à soi, à autrui, à la nature, on fabrique simultanément un individu beaucoup plus fort et une société beaucoup plus solidaire, harmonieuse, pacifique et juste.

Admettre cela exige de repenser toute la civilisation à partir d'une autre anthropologie – au-delà de l'«anthropologie sinistre*» de «l'homme loup pour l'homme» et par-delà «l'anthropologie vaniteuse» de l'homme «*self made*». Les Tisserands seront, je l'espère, les hérauts de cette nouvelle anthropologie. Une «anthropologie de la fraternité» selon laquelle l'être humain n'est rien sans les autres, tous les autres avec toute leur altérité. Une anthropologie de la fraternité selon laquelle l'être humain a tout à gagner à fraterniser aussi bien au-dedans avec lui-même qu'au-dehors avec l'ensemble de l'être, au lieu de vivre ignorant de son moi profond, en lutte avec les autres et en rupture avec la nature. Il s'agit pour l'être humain d'apprendre ou de réapprendre à «faire société» aussi bien avec lui-

* Expression de l'anthropologue Marshall Sahlins, in *La Nature humaine. Une illusion occidentale*, Éditions de l'Éclat, 2009.

même qu'avec toute altérité : cultiver le sens de l'amitié et du dialogue avec ses richesses intimes, avec la richesse d'autrui, avec la richesse de la nature.

Être relié et être plus

Quelle que soit sa combativité, ou ses dons exceptionnels, le petit moi qui tente de vivre «seul contre tous» ne pourra jamais réaliser son potentiel d'humanité. Tout au contraire, il ne réussira qu'à s'épuiser. En cherchant à s'affirmer uniquement par lui-même et pour lui-même, il vivra comme l'ombre de lui-même et non en être humain authentique. Nous ne sommes rien sans les autres. Pourquoi ? Parce qu'au sortir du ventre de notre mère, nous sommes démunis, nous n'avons pas les moyens physiques pour nous débrouiller tout seul. «Loin d'être bénis des dieux, nous sommes marqués par le manque et l'«avoir-moins» [...] L'homme est un néotène, un être mal fait, terriblement incomplet à la naissance[*]». Mais le moins est un plus, la faiblesse naturelle exigeant le développement de la culture, et au cœur de celle-ci de la solidarité et de la fraternité, grâce auxquelles l'être humain originellement nu, ignorant

[*] Jean-François Mattei et Israël Nisand, *Où va l'humanité ?*, Les Liens qui libèrent, 2013, p. 17.

et impuissant, devient ce «cœur de liens» qui le rend capable des plus grands accomplissements.

Être, c'est être relié. C'est vrai au cœur biologique de notre être, en amont même de tout effort conscient pour nous relier. Les neurosciences décrivent le fonctionnement des neurones miroirs* grâce auxquels notre cerveau se connecte à notre entourage d'une façon stupéfiante : lorsque nous voyons agir autrui, ces neurones se mettent en action de la même façon que si nous agissions nous-mêmes – comme si chacun d'entre nous était donc à chaque fois le spectateur *et l'acteur* de tout ce que fait un autre être humain. De son côté, l'épigénétique révèle que, quel que soit le patrimoine de nos gènes, ce donné est un potentiel dont tel ou tel aspect se réalise selon l'interaction de notre vie avec tel environnement. Lynne McTaggart explique que «l'épigénétique montre que les gènes sont comparables aux touches d'un piano : ils sont exprimés ou non en fonction de notre environnement [...] Nous existons seulement en raison de notre relation au monde. Notre environnement nous crée autant que nous le créons**.» Elle cite les généticiens Randy Jirtle et Rob Waterland, selon lesquels «les gènes, loin d'être le contrôleur central, existent plutôt comme

* Giacomo Rizzolatti, Corrado Sinigaglia, *Les Neurones miroirs*, Odile Jacob, 2011

** *Inexploré*, hors-série n° 1 : «Une nouvelle conscience».

des particules subatomiques, purement comme un potentiel, qui doit être activé ou non par des signaux en dehors de notre corps. La recherche suggère désormais que l'information coule dans un autre sens : de l'extérieur vers l'intérieur [...] les gènes sont activés, éteints ou modifiés, par les circonstances de notre vie et par l'environnement, c'est-à-dire par ce que nous mangeons, par les personnes dont nous nous entourons et par la façon dont nous conduisons notre vie[*]. »

En cela, l'humain ne fait pas exception à la règle générale du vivant. La loi du lien, ou « paradigme de l'interaction créatrice », est la prise de conscience qui s'impose déjà aujourd'hui dans les sciences. Elle y produit actuellement une réaction en chaîne de révolutions radicales, qui bouleversent une par une toutes nos certitudes antérieures, dans tous les domaines d'étude du réel – naturel ou humain. Il n'y a pas, contrairement à ce que soutenait la science classique – dualiste – des objets qui existent à part les uns des autres selon une pure extériorité. Chacun n'existe qu'au sein d'un système d'interactions. Le catalogue d'ouvrages scientifiques des Liens qui libèrent s'est spécialisé dans la mise en évidence de cette révolution cognitive généralisée, qui touche tous les compartiments du savoir : « Chaque système ou entité se construit, se développe,

[*] Randy Jirtle et Rob Waterland, *Le Lien quantique*, Macroéditions, 2012, p. 63.

se diversifie par les interactions qu'il entretient avec son milieu. Que ce soit en biologie (une cellule ou un organisme ne se développe pas isolément), en physique (il n'y a pas de chosification de la matière), en psychologie (un nouveau-né meurt s'il n'est pas affectivement entouré), en ethnologie (le rôle du don et du contre-don dans les sociétés humaines), dans les domaines de l'économie (qui se définit d'abord par l'échange), sociaux (la question de la redistribution ou l'idée qu'une société est davantage que la somme de ses membres), et bien entendu environnementaux (interdépendance de chaque niveau de réalité) [*]. »

Ce que les généticiens disent de l'influence de « la façon dont nous conduisons notre vie » sur l'activation de certaines prédispositions génétiques entre en résonance directe avec ce qui a lieu sur le plan intérieur : notre âme est elle aussi « activée » ou « désactivée », « libérée » ou « laissée à l'état dormant » selon que nous la sollicitons ou non. La stimulation du Triple Lien réveille le moi profond. Si au contraire nous ne cultivons pas une certaine qualité de lien à nous-mêmes, aux autres et à la nature, notre âme continue à dormir et nous finissons par ne plus savoir que nous en avons une. Le trésor intérieur que symbolise la notion d'âme – c'est-à-dire nos ressources d'humanité, de

[*] http://www.editionslesliensquiliberent.fr/index.php

conscience, de vitalité – demeure enfoui. Et notre conscience ordinaire de nous-mêmes, qui n'est jamais allée creuser de ce côté-là, ignore ce qu'elle a «sous les pieds»... Elle vit en surface, et pour elle tout se passe comme si au-dessous il n'y avait rien.

À l'inverse, pour la conscience de soi qui s'approfondit, le lien intérieur devient synonyme de progrès d'être. En accédant à nos ressources profondes, nous trouvons la nourriture d'une croissance. Donc non seulement «être, c'est être relié», mais «être relié», c'est «être plus». Mais jusqu'à quel seuil d'«être plus» le fait d'être relié à nous-mêmes nous conduit-il? Il semble que l'extrémité la plus lointaine du moi profond soit une sorte de «sas» ou de «porte» mystérieuse au-delà de laquelle, lorsque nous y arrivons, nous expérimentons une «sortie du monde» dont il est à peu près impossible de dire quoi que ce soit, parce que, au-delà de sa limite, on bascule du côté de ce qui n'a aucune forme. On trouve ce thème de l'accès intérieur à d'autres univers dans la plupart des gnoses (sagesses anciennes). Par exemple dans l'ésotérisme chi'ite tel qu'Henri Corbin le décrit: «Pour tous nos ésotéristes, le monde intérieur désigne la réalité spirituelle d'univers suprasensibles qui, en tant que réalité spirituelle, est celle qui cerne et enveloppe la réalité du monde extérieur [...] Sortir de ce que nous appelons communément le monde extérieur est une expérience non pas "subjective" mais aussi "objective" que possible, même s'il est difficile d'en transmettre l'évidence à un esprit qui se veut moderne*.» Tout ce qu'on peut dire, peut-être, au sujet de ce «monde intérieur» est que dans le fonds ultime se trouverait la porte d'où sortent toutes choses... En plongeant au plus profond de soi, on serait en fait comme un nageur parti pour remonter le fleuve de la création, vers son amont, c'est-à-dire du côté de l'origine – du principe créateur. Il y aurait une sortie intérieure hors du domaine des choses créées vers la source créatrice de l'univers. Trouver une telle porte confirmerait que la fine pointe de notre moi profond serait du côté d'un lieu sans lieu d'où naissent le temps et l'histoire, l'espace et la matière. Si ce passage «hors monde» est bien celui qui mène du créé à la puissance créatrice, alors son paradoxe est qu'il nous permet de mieux habiter ce monde: grâce à ce qu'il nous permet de remonter des profondeurs, il nous donne *ici*, dans la réalité de tous les jours, une énergie sans pareille. C'est le bénéfice de la sortie de la caverne dont parlait Platon (*La République*, livre VII): l'accès à la lumière d'un soleil «divin» ou «idéal» nous permet ensuite de redescendre dans la caverne chargés d'une nouvelle force, vision et inspiration.

* Henri Corbin, *En islam iranien. Aspects spirituels et philoso-phiques*, Gallimard, 1991, vol. 1, p. 82.

Nous, les passeurs-tisseurs

Si l'être humain est à la fois dans le monde et hors du monde, c'est lui qui garde le passage entre les deux. Il est le passeur. Nous sommes les passeurs. Des accoucheurs de mondes, des sages-femmes… car le hors monde est comme une matrice obscure et mystérieuse où notre monde s'enfante et d'où il surgit soudain, à chaque instant. Qui est là pour le voir? Qui se tient au point de confluence et d'émergence? Le passeur humain. C'est par son intermédiaire averti et bienveillant que chaque être reçoit son laissez-passer pour l'univers. Voilà, me semble-t-il, une grande conscience de nous-mêmes qui nous sollicite : la conscience d'être le lien par excellence entre tous les êtres de l'univers et le fil d'or grâce auquel ils sont bien reliés à quelque grande source créatrice «hors univers». Imaginons cela ensemble. Voyons l'immense toile de tous les liens entrecroisés dans le cosmos, créée d'abord à partir de ce fil d'or. Selon le plus ancien symbolisme du tissage*, il est la chaîne (le fil principal, le canal de vie) grâce à laquelle la trame de tous les autres fils tisse entre eux les mille et une interactions dont ils s'alimentent les uns les autres. Ce sont autant de canaux où se distribue

---

* René Guénon, *Le Symbolisme de la croix*, Vega, 2007, «Le symbolisme du tissage», p. 117-124.

sans cesse et circule une énergie créatrice qui provient de lui – ce fil d'or qui vivifie l'ensemble à partir de la source créatrice hors univers. Là où il est coupé, la mort. Là où il ne tient plus aussi solidement ensemble les fils de l'être, la division.

D'où surgit-il? De quel ailleurs inconnaissable? Il me semble que nous tenons le fil qui remonte le plus directement au fil d'or et à sa source secrète quand nous allons au plus loin de nous-mêmes, au plus lointain du moi profond… C'est peut-être là que nous nous approchons au plus près du mystère et de la vision de notre fonction à son service: exercer au mieux l'art de ce passeur-tisseur qui patiemment noue le fil d'or venu d'ailleurs à tous les fils de tout ce qui existe sur la terre et dans le cosmos immense. Passeur et tisseur d'étoiles à toutes les échelons, l'homme sage identifie un par un tous les *cordons ombilicaux* grâce auxquels chaque être, même le plus petit, est nourri par le cordon d'or. Notre dignité est de devenir ce sage et radieux passeur, que l'islam appelle un *barzakh* (un isthme entre deux mers) et le christianisme un *pontifex* (celui qui fait le pont). Son lien au fil d'or est si conscient qu'aucun lien dans le monde ne peut plus le rendre esclave: étant relié hors du monde, il échappe à tout enfermement dans ce monde!

Cette dimension cosmique de la dignité humaine, relative à notre fonction dans l'univers, se situe très en amont de ce à quoi nous sommes habitués, à savoir sa définition politique. Il y a là pour les Tisserands un sublime héritage à recueillir pour approfondir notre compréhension de la dignité humaine. Mais ce type de perspective métaphysique ne nous est-il pas devenu aujourd'hui totalement étranger? Si ce n'est incompréhensible? Henri Corbin critiquait en ce sens ces philosophes modernes qui, comme Martin Heidegger, croient dur comme fer que nous sommes réduits à notre existence dans les limites de cet univers. Or, comme passeurs nous serions à la fois dans et hors du monde, pour partie mortels (comme toute chose du monde) et pour partie éternels (toujours jeunes et toujours vivants par notre proximité avec la source créatrice du monde). Lorsque Heidegger croit pouvoir nous circonscrire à notre «être-pour-la-mort», cela n'exprimerait donc qu'un symptôme: la perte de notre conscience de passeurs; le signe que nous avons «perdu la capacité d'atteindre à ces modes d'être orientés vers l'éternel, vers les mondes ou les activités au-delà de la mort*». *Nous nous sommes rendus mortels en nous oubliant passeurs...* Comment nous retrouver comme tels? Comment devenir aujourd'hui des passeurs actifs et conscients d'eux-mêmes?

* Cité *in* Tom Cheetham, *L'Envers du monde*, Entrelacs, 2014, p. 32.

Nous nous sommes rendus mortels

Chaque fil coupé du Triple Lien nous prive d'un lien qui nous permettrait de remonter jusqu'au fil d'or, et de reprendre conscience de nous-mêmes comme passeurs… Toute rupture de lien nous prive un peu plus de notre dignité essentielle, nous empêche de faire vers elle un progrès d'être, et au contraire nous diminue. La coupure individualiste, la perte de contact avec la nature, tout cela nous isole. La perte du lien à notre intériorité nous affaiblit, car alors l'alimentation en énergie issue du fil d'or ne nous arrive plus par aucun des liens où elle circule. Nous sommes alors comme un étang dont l'eau devient saumâtre lorsque les rivières qui la renouvelaient se sont taries – l'étang qui n'est plus irrigué s'assèche et finit par mourir.

Si je suis mal relié à mon âme (si je ne suis pas à l'écoute de mes propres aspirations), je dépéris sans m'en apercevoir. Je deviens ennuyeux pour moi-même et pour les autres, à force de poursuivre des objectifs divers qui ne me correspondent pas, qui me laissent sur ma faim en ne m'apportant rien de fondamental et qui finissent donc inévitablement par engendrer une «fatigue d'être soi» mortifère. Si je suis mal relié aux autres, que je n'ai l'occasion ni de donner ni de recevoir, ni d'aimer ni d'être aimé, ni de dialoguer ni du moi profond, de la fraternité avec autrui et de la participation à la vie de la nature sont en réalité pour notre vie des sources inépuisables et pour notre vitalité des ressources infinies! J'emploie ici l'expression «énergie renouvelable» en la sortant tout à fait à dessein de son contexte habituel. Il me semble qu'en effet nous pouvons méditer sur le fait qu'aujourd'hui nous cherchons à nous réorienter vers ces énergies renouvelables sur le plan matériel (pour la consommation de nos machines) au moment même où nous en aurions autant besoin sur le plan intérieur: pour alimenter notre propre être, notre propre progrès d'être et de conscience! Les Tisserands auront à faire entendre cela aussi: le grand tournant, le grand passage des énergies non renouvelables aux énergies renouvelables, nous attend simultanément sur ces deux plans. Ce ne sont pas uniquement le pétrole ou le gaz qui demandent à être remplacés. Mais, de manière complémentaire, probablement plus cruciale encore, nous aurons, pour nous nourrir nous-mêmes, besoin d'un autre carburant! Nous aurons à remplacer, pour alimenter nos vies, les énergies fossiles de la société de consommation par les ressources infinies de ce qu'Henri Bergson appelait l'énergie spirituelle, et dont le Triple Lien est le canal. J'espère que notre crise énergétique mondiale nous fera comprendre que c'est en premier lieu notre propre moi qui a maintenant besoin de changer de source d'énergie, et de se décider à «consommer» cette énergie renouvelable s'il veut assurer son «développement durable».

Or cela, seul l'écosystème du Triple Lien peut le lui offrir, en l'intégrant dans le circuit d'une «boucle infinie» de liens. Comme pour tout être vivant notre santé et notre vitalité sont conditionnées par la richesse de notre interdépendance avec notre milieu. Tout ce qui est mal connecté meurt plus vite, tout ce qui n'est pas alimenté par des sources qui le régénèrent dégénère. Je le répète, la mort résulte d'un défaut de liens, elle sanctionne leur insuffisance quantitative et qualitative. Comme le soutenait Pic de la Mirandole à la fin du XVe siècle [*], nous ne sommes pas par nature mortels ou immortels, nous devenons d'autant plus mortels ou d'autant plus immortels que nous vivons bien ou mal alimentés par les liens nourriciers que nous travaillons peu à peu à tisser avec tout l'univers. L'immortalité ne serait pas un fantasme, mais le couronnement de l'art des liens. Envisagée à partir de l'idée concrète du réseau de ces liens, elle n'est plus, me semble-t-il, une hypothèse surnaturelle. Henri Bergson fut un des premiers à me communiquer cette intuition en écrivant dans *L'Évolution créatrice* que

* Pic de la Mirandole, *Traité de la dignité de l'homme*, Éditions de l'Éclat, 1993.

«tout se compénètre» dans l'univers et que grâce à cette interconnexion généralisée toujours plus complexe au fur et à mesure de l'évolution de la vie, «tout se passe comme si un être indécis et flou, homme ou surhomme*, avait cherché à se réaliser**». On peut considérer, poursuit-il, que «l'ensemble du monde organisé devient comme l'humus sur lequel devait pousser l'homme lui-même».

Considérons l'histoire de notre espèce. Depuis toujours, nous créons et complexifions sans cesse un Monde-Toile avec toutes nos pratiques sociales, nos institutions et nos récits: les échanges et les routes commerciales, les religions qui relient les hommes entre eux et avec les dieux, les langues dans lesquelles circulent l'information, le savoir, l'imaginaire… tout est tissage de liens dans la culture humaine. Une civilisation quelle qu'elle soit est plus ou moins prospère, ou décadente, selon l'état de son réseau interne et externe de liens: plus les échanges y sont nombreux, féconds, justes, libres, sur tous les plans du commerce, du savoir, de l'information, plus elle est vivante et florissante. La santé d'un monde humain, et le progrès humain dans son ensemble, est toujours

* À l'époque de Bergson, cette notion n'avait pas encore pris son caractère péjoratif.
** Henri Bergson, *L'Évolution créatrice*, Les Presses universitaires de France, 1959, p. 289.

avons fabriqué des individualités qui, sous leur vernis de santé, de bien-être ou de réussite, sont en réalité très faibles, très solitaires et très agressives : très faibles et trop solitaires parce qu'elles n'ont pas appris à compter assez sur les autres, pas appris à «bien dépendre» d'autrui par des liens de solidarité et de fraternité ; très agressives parce que la première illusion de ne pouvoir compter que sur soi-même entraîne mécaniquement la seconde illusion d'être «seul contre tous», et donc la construction d'un monde dans lequel «l'homme est un loup pour l'homme». L'individualisme condamne à se battre.

Face à cette conviction qui prédomine encore considérablement et ses conséquences, les Tisserands ont du travail ! Il leur revient de réfléchir aux moyens de provoquer une prise de conscience et un changement des mentalités. D'expliquer et de propager inlassablement ce qui devrait toujours être une évidence de bon sens : personne n'est autosuffisant mais nous avons tous besoin les uns des autres. Ce qu'on appelle couramment aujourd'hui le «vivre ensemble» est à rebâtir à partir de là, c'est-à-dire selon un principe d'interdépendance et un idéal de bénéfice mutuel de cette interdépendance. Ni «moi tout seul», ni «chacun pour soi», ni «moi d'abord», ni «tout pour moi et rien pour les autres». Il s'agit de réinventer un monde humain où chacun a la possibilité de donner et de recevoir autant que tout autre, et gagne autant que tout autre dans chaque relation, un monde humain où dans tous les domaines de la vie sociale et professionnelle nos échanges sont organisés selon une règle de réciprocité. Donnant-donnant, gagnant-gagnant… non pas financièrement, mais selon le critère de l'humanisation : la moindre relation nouée, dans quelque domaine que ce soit, doit être pensée et mise en œuvre pour « rapporter » à soi-même autant qu'à l'autre et lui donner une chance de réaliser un peu plus loin – un peu plus haut – son humanité.

Chaque individu humain – sans laissés-pour-compte, sans sacrifiés, sans discriminés – doit pouvoir compter sur l'aide de tous les autres, et être ce que j'appelle ici un « cœur de liens », c'est-à-dire bénéficier de toutes les ressources de vie reliée, qui vont lui permettre non seulement de mener une vie décente, mais de se réaliser selon l'inspiration – qui dépasse cette vie – de son moi profond. Le monde moderne n'a donc pas eu complètement tort en mettant l'individualité au centre de son système de civilisation. Il ne s'est pas trompé de totem. Il fallait bien élire comme valeur cardinale de la civilisation humaine la dignité de chaque individu humain et l'objectif de son plein épanouissement ou bonheur. Cependant, ce qui a été négligé, c'est l'importance vitale de ce qui nourrit les personnes : la relation entre elles – et plus largement encore entre chacune d'elles et les trois sources d'alimentation, d'inspiration, de régénération du Triple Lien. Donc l'interdépendance non seulement avec autrui mais aussi avec soi-même et avec la nature! Sans ce Triple Lien, dignité et bonheur nous restent également inaccessibles: l'individu a un besoin impératif de ces sources/ressources pour connaître à la fois la dignité suprême d'une humanité pleinement réalisée et le bonheur de l'accomplissement personnel. Par rapport à cela, l'erreur moderne a été relative mais tragique: à partir du postulat exact que rien n'est plus sacré que chaque personne ou individualité humaine, on a vécu sur une conception complètement fausse de l'individualité humaine comme machine autoalimentée. Rien de plus illusoire! Toute notre énergie vitale nous arrive de l'extérieur de l'individualité par l'«artère symbolique» du Triple Lien – le moi profond lui-même étant un paradoxal «dedans dehors», en tant qu'il prend sa source hors des limites de notre individualité ordinaire, quelque part dans le «hors monde».

WAW – We are the Weavers (Nous sommes les Tisserands)!

Nos Tisserands ont été les premiers à comprendre le péril encouru par l'individu qui prétend vivre loin de son intériorité – donc *sans* lui-même mais également *contre* les autres et *loin* de la nature. Je les exhorte toutefois à ne pas gaspiller leurs forces dans une interminable critique contre cette folie moderne. Ils n'ont pas ce temps à perdre. L'urgence est de rassembler le plus largement possible pour changer d'ère. À cette fin, la première force est de ne pas se laisser impressionner par l'état de déchirure du monde ; de ne pas se laisser démotiver non plus par l'impuissance des médias à nous donner à voir autre chose que la gravité de cette déchirure. Tout ce qui ne cesse de se déchirer dans le monde des hommes est ressassé et passé en boucle... Ce faisant, les médias eux-mêmes contribuent à aggraver la situation à cause de l'effet de sidération terrible de ces images sur les consciences ! Voilà comment en toute inconscience on fabrique aujourd'hui des générations de gens qui ne croient plus en rien, des découragés d'avance, des cyniques qui, quand ils ont la chance de ne pas faire partie des damnés de la terre, se replient peureusement sur leur petit pré carré de bien-être privé. Quelle misère des uns, quelle irresponsabilité des autres ! Alors, certes, les médias parlent bien de-ci de-là des efforts de retissage du monde. Mais ils le font de façon le plus souvent très réductrice, sans donner aucune idée de l'ampleur réelle du phénomène. Avides de belles histoires mais ayant peu de suite dans les idées, ils se contentent de mettre en avant quelques Tisserands exceptionnels, des grands

Pour que vous compreniez mieux leur action et leur influence grandissante, je vais maintenant expliquer en détail *qui ils sont, où ils sont, ce qu'ils font,* et décrire les nouveaux milieux sociaux comme les nouvelles conditions sociales qu'ils sont en train de faire surgir.

Les Tisserands du lien intérieur

Je commence par les Tisserands du lien intérieur parce que la vocation ultime et convergente de tous les liens – à soi, à autrui, à la nature et à la vie – est de nous faire grandir en humanité. Ces Tisserands-là ont pris conscience que nous n'avions plus guère de nouvelles de nos «âmes», c'est-à-dire plus assez de relations avec notre intériorité.

Ce n'est pas étonnant. Ni l'école ni la plupart des éducations familiales n'enseignent à se mettre à l'écoute de soi. Pourtant, on gagnerait à ce que, dès son plus jeune âge, l'enfant apprenne à être attentif à son âme. Il n'est jamais trop tôt pour l'initier à la prise de conscience de ses ressources intérieures et à la capacité de «rester avec soi sans s'ennuyer». Or, aujourd'hui, tout semble fait pour empêcher cette constitution de l'intériorité: certains parents s'ingénient, en croyant bien faire, à multiplier pour leurs enfants les activités (le sport, la musique), d'autres les laissent livrés à la distraction continuelle de la télévision, d'internet ou des jeux vidéo. Mais comment mettre l'enfant en lien avec lui-même? Une première possibilité, élémentaire, est de cultiver avec lui la pratique du dialogue, et de l'inciter à discuter avec d'autres; il apprendra à s'interroger, seul ou en groupe, en étant amené à se positionner sur tous les sujets, petits et grands. C'est ce que font par exemple les promoteurs de la philosophie pour les enfants comme Michel Sasseville[*], à partir de questions très simples sur lesquelles ils font débattre une classe. Qu'est-ce qui vous rend le plus heureux? Comment montrer à quelqu'un qu'on l'aime? La violence règle-t-elle les problèmes? Et ainsi de suite. En proposant ainsi à l'enfant – en classe ou à la maison – de trouver «les mots pour se dire», on lui offre des activités qui le ramènent à lui-même, à ce qu'il ressent, à ce qu'il pense, et lui évitent de rester dispersé au dehors. Il n'est jamais trop tôt pour rendre l'enfant sensible à la valeur de la vie reliée en général – et pas seulement reliée à soi. L'école peut par exemple lui faire expérimenter le besoin permanent que nous avons les uns des autres, la valeur de la solidarité et de l'entraide, le plaisir de ce qu'on réussit ensemble. Pour cela, il s'agira de mettre en place

[*] Série documentaire québécoise *Des enfants philosophent*, à l'intérieur du cours en ligne «L'observation en philosophie pour les enfants»: http://philoenfant.org/coursenligne/

dès les petites classes des activités de travail en équipe, grâce auxquelles l'enfant développe le sens du collectif aussi bien que le sens des responsabilités et de l'intérêt général sont stimulés.

Du côté des adultes, l'éducation au lien avec soi est-elle plus répandue? Combien d'entre nous ont acquis la discipline et trouvé le goût d'un temps quotidien de silence intérieur? D'une pratique régulière de mise en ordre de ses pensées, de ses émotions, de sa vie? La culture socratique du «connais-toi toi-même» (*gnothi seauton*) a été largement perdue – à notre plus grand préjudice, parce qu'il y a là une pratique non religieuse du retour à soi, dans l'universalité de laquelle nous pourrions communier. Quel être humain sur la terre, en effet, n'a pas un rendez-vous intime avec les questions suivantes?

«*Qui suis-je?* Qu'ai-je au fond de moi de différent, de singulier, d'unique? Me suis-je déjà donné les moyens de le découvrir et de l'exprimer? Ai-je donc assez pris soin de moi-même? Ai-je une connaissance superficielle ou approfondie de moi-même? Au quotidien et au fil des années, est-ce que je prends le temps de faire silence en moi-même? Le temps de me mettre en quête et à l'écoute de mon moi profond? Est-ce que cette expression même – tout comme celles d'âme ou d'intériorité – a un véritable sens pour moi? Ou bien n'y ai-je jamais vraiment réfléchi? Est-ce que j'ai choisi une vie en harmonie avec quelque chose qui chez moi viendrait ainsi du dedans? Est-ce que je la construis comme un véritable chemin à la rencontre de moi-même? Comme un processus d'accomplissement en accord avec mes aspirations et mes facultés les plus personnelles? Suis-je toujours fidèle à ce que je m'étais promis d'être? Ma vie suit-elle une direction majeure, ou bien une série éclatée, sans ordre ni progrès, de buts ponctuels? N'ai-je pas le sentiment désagréable de m'être laissé imposer mes objectifs et mon mode d'existence par la société? Si je suis honnête avec moi-même, puis-je toujours me considérer comme "vivant", ou bien ai-je laissé mes rêves, mes idéaux, mes aspirations les plus vitales se diluer ou se dissiper peu à peu?»

De plus en plus d'individus cherchent aujourd'hui à retrouver le temps, la sincérité, la profondeur de ce type de questionnement sur soi. Ils en ont assez de sociétés où rien n'est prévu – aucun espace – pour communiquer à ce même niveau d'intimité avec d'autres. Assez de ces univers matérialistes où personne ne parle jamais de la vie comme d'un cheminement intérieur, où ne sont donnés nulle part les moyens d'avancer dans l'accord avec soi, la connaissance de soi, l'exigence envers soi ou l'acceptation de soi. À force d'ignorer ces besoins fondamentaux, nos sociétés ont fini par susciter des sentiments d'énorme frustration… Elles ne pouvaient pas rester plus long-temps dans ce vide, dans cette *non-assistance à personne en quête de soi*. Voilà ce qui a donné matière à l'apparition d'une première famille de Tisserands. La conscience de ce manque est à l'origine de leur vocation. Ils ont donc commencé à ouvrir dans la cité humaine des lieux consacrés aux pratiques du retour à soi, notamment des centres consacrés à la découverte de la méditation. Celle-ci fait un spectaculaire retour en force dans nos sociétés. Elle connaît un engouement qui ne cesse de s'amplifier, y compris sous les formes et dans les lieux les plus inattendus.

À l'école, l'association RYE fondée par Micheline Flak a obtenu l'agrément du ministère français de l'Éducation nationale pour promouvoir le yoga auprès des élèves – et les méthodes de concentration et de bien-être dans leur ensemble[*]. Des précurseurs comme Raymond Barbry[**] se font entendre d'un public plus large et plus réceptif qu'auparavant: «Il s'agit, durant un temps très bref en début de cours, d'effectuer quelques exercices simples. Se concentrer sur sa respiration, se mettre à l'écoute des sons, des sensations de son corps, et observer ses pensées. Si l'on pratique régulièrement, on note des effets positifs sur chaque

[*] www.rye-yoga.fr
[**] https://agepsraymondbarbry.wordpress.com

élève, de manière individuelle, mais aussi sur les enseignants, ce qui entraîne, de fait, des effets collectifs sur l'ambiance générale de la classe. Des recherches scientifiques récentes ont pu démontrer ce que les anciennes traditions avaient découvert bien avant nous, à savoir que ces temps de silence et d'intériorité s'avéraient bénéfiques, voire indispensables au développement et à l'équilibre de l'être humain [...] Partout, les ouvrages et autres témoignages sur la pleine conscience se multiplient. Bien plus qu'un effet de mode, cette approche du développement de l'intériorité semble répondre à un véritable besoin de notre époque*.»

Méditation à l'école mais aussi méditation au travail, comme en témoignait récemment cette chronique de France Info: «La méditation, ça n'est rien d'autre qu'un moment de calme. Chez Google, en Californie, ce type de pratique est devenu plus organisé. Il y a quelques jours, un ingénieur de chez Google faisait une étape à Paris, au siège de Google France. Un ingénieur pas comme les autres. Chade Meng Tan, natif de Singapour, a mis en place une espèce d'atelier de méditation dans l'entreprise. Il a déjà formé deux mille salariés, et il y a une liste d'attente. Il est aussi l'auteur d'un best-seller, *Connectez-vous à vous-même*. Ses fans sont le dalaï-lama, Barack Obama, Bill

* http://www.inrees.com/articles/Mediter-a-l-ecole/

et Hillary Clinton. La méditation au travail, c'est vraiment en train de bouger. »

Parmi les méthodes de méditation, signalons enfin que le yoga suscite un intérêt sans précédent (il y aurait 250 millions de pratiquants pour le yoga dans le monde, 1 million en France). Fait significatif, inimaginable il y a quelques années : l'ONU a décidé de faire du 21 juin 2015 la journée mondiale du yoga, sur proposition du Premier ministre indien Narendra Modi, votée à la quasi-unanimité par les pays-membres ! Mais on constate aussi, avec une nuance plus religieuse, la réapparition du recueillement ou de la prière, et le besoin de réaffirmer une identité religieuse forte. Bref, les Tisserands du lien intérieur sont bel et bien à l'œuvre, et déjà beaucoup plus nombreux qu'on ne le croit.

Le petit moi et le Soi

La première grande catégorie de Tisserands rassemble tous ceux qui rentrent en eux-mêmes, à partir de plusieurs aspirations. Dans nos sociétés stressées et stressantes, beaucoup cherchent à trouver un peu de calme intérieur. Ou bien ils puisent dans leur méditation une « recharge », un surcroît d'énergie pour tout ce qu'ils entreprennent. D'autres en ont assez d'une vie sans grande direction, qui «part un peu dans tous les sens» ou qui, malgré les années qui passent, n'arrive pas vraiment à commencer. Ceux-là se retournent alors sur eux-mêmes pour «se poser enfin les bonnes questions» sur leurs vraies aspirations et sur l'orientation de leur vie. Pour d'autres encore, ce retour sur soi prend la forme d'une quête méditative d'autres niveaux de conscience.

Tous ces nouveaux pèlerins de l'âme, qui reprennent ainsi pied d'une manière ou d'une autre sur la «terre intérieure», expérimentent à des degrés divers ce dont parlaient les sagesses anciennes, philosophiques et religieuses, d'Orient et d'Occident. Celles-ci établissaient toutes, en effet, la distinction entre «moi superficiel» et «moi profond». Ces sagesses creusaient même si loin qu'elles ouvraient en nous l'espace pour un «homme intérieur» ou «homme transcendant»; cette Personnalité suprême dont on ne peut toucher le fond, et que j'appelle ici le Soi ou l'Être essentiel suivant le sens que lui donnait par exemple Karlfried Graf Dürckheim. Celui-ci expliquait le rapport entre la conscience ordinaire que nous avons de nous-mêmes et la conscience de notre Être essentiel par les images de la vague et de la mer, puis de la feuille et de l'arbre: «Reconnaître que l'on est une partie du Tout, qu'on est même le Tout selon sa modalité de partie, exige une certaine forme de conscience. Une conscience différente de celle qui voit comme séparé et distinct d'elle-même le Tout dans lequel elle est et qui est en elle [...] Si l'on dit à la vague: "Tu es dans la mer", elle répond: "C'est vrai". "Et où, lui demande-t-on alors, commence la mer? – Là, dit-elle, juste où s'arrête mon écume. Je suis ici, et là, à côté se trouve la mer." Et si on l'interroge plus avant: "Et toi? N'es-tu pas une vague de la mer, n'es-tu pas toi-même la mer à la façon dont elle apparaît dans une vague?" La vague le *comprendra* peut-être intellectuellement. Mais il lui faut une autre conscience pour sentir la vérité vivante de ce fait que la mer n'est pas simplement "là", objectivement présente en face d'elle et opposée à elle, mais qu'elle est contenue dans la vision d'une conscience intériorisée. Alors seulement la vague aura une conscience intime, non objective [non extérieure] d'être la mer. Cette conscience, et elle seule, lui permettra de percevoir ce qui lui est caché par la conscience objective. De même la feuille et l'arbre. Si la feuille n'a de sa condition de feuille qu'une représentation où elle se distingue de l'arbre, naturellement elle sera effrayée quand viendra l'automne. Elle craindra de se dessécher, de tomber et, finalement, de devenir poussière. Mais si elle saisit réellement qu'elle est elle-même l'arbre dans sa modalité de feuille et que la vie et la mort annuelles de la feuille font partie de la nature de l'arbre, elle aura une autre vision de la vie. Pour la saisir au fond

« déification » ; ou pour le traduire en langage non religieux « il est invité à passer d'urgence du Moi-ego à ce
que Jung appelle le Soi », le « noyau fondateur de l'être »
« dont il doit devenir le fruit » [*].

Mais où est passé le Soi ?

Les Tisserands ont besoin de recueillir ce type d'héritages symboliques, grâce auxquels ils peuvent offrir
le support de grandes images à leur quête intérieure.
Par rapport à l'ensemble des mythologies, religions,
sagesses du passé proche ou lointain, la question est :
qu'est-ce qui là peut nous aider à devenir Tisserands ?
Je le précise notamment à l'intention de tous les
croyants, ou de tous ceux qui ont reçu une culture
religieuse et qui se sentent aujourd'hui souvent dans
une position d'entre-deux, partagés entre le désir de
fidélité à cet héritage et la conviction qu'ils ne peuvent
pourtant pas le reprendre intégralement, en se conten-
tant de reproduire ce qu'ont fait leurs parents et toutes
les générations précédentes. Beaucoup de jeunes
consciences vivent actuellement ce dilemme. Or la
vie tisserande, la vie reliée, est un bon critère de ce qui

---

[*] « Mutation individuelle et collective », entretien publié dans
Laurent Muratet et Étienne Godinot, *Un nouveau monde en marche*,
Éditions Yves Michel, 2012, p. 382-383.

peut être abandonné ou conservé, ou encore transformé en quelque chose de nouveau. Qu'est-ce donc qui va me permettre, de façon personnelle, d'utiliser tel ou tel élément de ma tradition religieuse d'origine pour cultiver mon lien intérieur, mon lien aux autres et à la nature, pour élever mon degré de conscience?

Personne aujourd'hui ne supporte qu'on lui dise: «Voilà ce en quoi il faut croire.» La liberté de conscience apparaît à chacun comme son bien le plus précieux. Mais cela peut être articulé avec le fait d'hériter, dès lors que l'héritage n'est pas contraint mais choisi. L'héritage est un sol sur lequel l'être humain n'est pas retenu prisonnier par ses racines, mais sur lequel il choisit de s'enraciner. À cette condition, hériter devient une force. En effet, se tourner vers les grandes voies de sagesse du passé pour y puiser une inspiration personnelle et libre permet de prendre confiance en sa démarche. On s'aperçoit alors que notre quête de sagesse a été dans toutes les civilisations la grande affaire humaine, et que parmi les êtres humains, ce sont les plus exigeants qui se sont consacrés à approfondir ce genre de quête. Ayant été familiarisé dès mon enfance avec les sagesses musulmane, hindoue et chrétienne en particulier, je me suis très tôt rendu compte que les esprits les plus subtils et pénétrants de ces différentes traditions avaient tous l'intuition que c'est en nous que se trouve la clé du plus grand mystère. Cette prise de conscience précoce n'a fait que se renforcer lorsque mes études de philosophie m'ont fait découvrir les stoïciens, les épicuriens et les néoplatoniciens. Eux aussi se concentraient sur l'exploration de l'intériorité et parlaient d'autres niveaux de conscience que l'ordinaire ; et ils proposaient également – comme leurs homologues religieux d'Orient et d'Occident – des exercices spirituels permettant d'en faire l'expérience.

Dans ces études de philosophie m'attendait cependant aussi une très grande surprise : mais où était passée la quête du moi profond, où était donc passée l'expérience prodigieuse du Soi, chez les penseurs, intellectuels, philosophes de l'Occident moderne ? D'abord incrédule, je compris bientôt à quel point ces thèmes étaient absents chez nos esprits à première vue les plus puissants, et à quel point dans le « grand paysage mondial des sagesses » cette pensée moderne ignorante du Soi est exceptionnelle : parmi toutes nos « sciences humaines » nées au XIXe siècle, seules la psychologie et la psychanalyse nous proposent de nous aventurer en nous-mêmes... Mais dans quel abîme d'oubli ou de déni a donc sombré cette figure du Soi autrefois partagée comme un trésor, comme un patrimoine universel de l'humanité, par toutes les écoles orientales et antiques d'un bout à l'autre de la Terre ?

Cette présence du Soi en nous comme d'une Personnalité paradoxale - distincte de notre individualité et en même temps infusée en elle - est décrite aussi bien par Platon que par Shankara et maître Eckhart. Dans des langages qui varient, tantôt plus philosophiques et rationnels, tantôt plus religieux et mystiques, tous tentent de rendre compte de l'expérience de cette présence apparemment incroyable. Ils parlent de sa prise de conscience comme d'un dévoilement, d'une illumination, d'un éveil survenu souvent – pas toujours – au terme d'une longue quête et d'une longue enquête. Ils en témoignent aussi comme d'une expérience dont il est absolument impossible de rendre compte – comme s'ils avaient mis les pieds dans un pays trop étrange pour être décrit. Lorsque cette Personnalité transcendante se révèle en eux, ils s'aperçoivent qu'elle échappe à toute description et que leur petit moi de départ est comme le costume d'un comédien qui en aurait une infinité dans sa loge. Ce moi ne leur apparaît donc plus comme leur identité même mais comme un des travestissements, une des incarnations de la Personnalité – sa forme particulière dans ce corps, dans cette conscience, dans ce chemin d'existence qui sont les nôtres actuellement.

Maître Eckhart l'exprimait sur un mode très religieux au début du XIVe siècle. Il concevait en effet Jésus-Christ comme l'archétype de la réunion du moi et du Soi, de l'«homme extérieur» et de l'«homme intérieur»: en lui, écrivait-il, se réalise une unification dont nous devons viser le modèle jusqu'à ce qu'elle «nous fasse un comme il est un» – ce qu'il appelle, en langage religieux, «la naissance intérieure de Dieu en l'âme»[*]. La voie de cette unification est ce que l'on a appelé plus haut le processus d'individuation: la découverte en soi de ce qui est vraiment et exclusivement Soi – le plus unique en chacun au sens où le dieu monothéiste est décrit comme «unique», c'est-à-dire sans équivalent. De son côté, Shankara[**] écrit au VIIIe siècle que le moi et le Soi sont comparables à «deux oiseaux associés l'un à l'autre», «perchés sur le même arbre». Mais tandis que l'un, le moi, «mange les fruits savoureux», «l'autre, sans manger, le regarde»: c'est le Soi, qui n'a pas besoin de se nourrir de quelque chose d'extérieur à lui car il est le créateur de toutes choses... Le moi qui mange les fruits symbolise alors l'état de l'individu qui se nourrit de la conscience et de la présence du Soi en lui-même. Comme le précise Shankara, «celui qui sait que ce suprême et immortel *Brahman* [nom du Soi dans l'hindouisme] réside dans le cœur de chacun

---

[*] Maître Eckhart, *Les Sermons*, Albin Michel, Spiritualités vivantes, 2009, p. 64 et 662.

[**] Charya Sankara, *Commentaire sur la Mundaka Upanishad*, Michel Allard/Éditions orientales, 1978, p. 53, 65 et 72.

supprime ici le nœud de l'ignorance, ô mon cher [...] Il est grand, lumineux et indescriptible. Il est plus subtil que le subtil. Il brille de mille façons, plus éloigné que le plus lointain, il est tout près de ce corps. Pour les êtres éclairés, il est là, dans la cavité du cœur».

Unis dans le déni

Combien parmi nous aujourd'hui ont connaissance de cette *unanimité* des sagesses traditionnelles d'Orient et d'Occident? De cette rencontre au sommet dans la description de la vocation la plus haute de l'individualité humaine à tendre vers le Soi? Qui, parmi nos philosophes modernes, de Nietzsche à Foucauld en passant par Sartre et Heidegger, nous aurait parlé d'une idée comme celle-là? Pas un ne l'a fait. Je suis stupéfait de constater la quasi-disparition dans la pensée de ce thème jusque-là central et universel de la culture humaine. La perte de conscience de cette «possibilité du Soi» est d'ailleurs constatable aussi bien du côté de la religion que du côté de la philosophie et des sciences de l'homme. La plupart des éducations religieuses ne transmettent en effet à peu près plus rien de ce sens supérieur de l'humain. Les théologiens, les clercs de toutes confessions, n'évoquent jamais «l'homme dans l'homme»; ils se contentent de parler des dieux, de leurs lois et de leur amour, et de répéter que face à eux l'homme n'est rien, qu'il doit se soumettre et implorer la miséricorde, le pardon de ses péchés ou son salut dans l'au-delà... Comment les religions elles-mêmes ont pu oublier à ce point-là que le mystère fondamental est celui de la présence en tout être humain d'un «humain plus qu'humain», d'une personnalité humaine dont les dieux sont autant d'images à la fois justes et naïves? Le culte des dieux, des prophètes et des saints a eu pour résultat catastrophique de persuader qu'il s'agissait là de modèles inaccessibles, et d'éloigner de «l'homme ordinaire» toute idée d'atteindre lui-même la sagesse et de trouver en lui-même une présence supérieure. Même le christianisme, qui parle du Christ comme «divin et humain», n'enseigne pas à ses fidèles que chacun est appelé en réalité à devenir Christ, c'est-à-dire à réaliser le «divin» comme sa personnalité propre.

Quant aux athées, ils ne voient là-dedans qu'une «folie des grandeurs» qu'ils traitent par le mépris ou l'indifférence. Un moi profond dont le mystère ultime serait un Soi hors monde? Cela n'existe purement et simplement pas pour eux. Voilà donc comment croyants et athées se retrouvent aujourd'hui associés, à leur insu, dans la même ignorance de la sagesse ancienne. Unis dans le déni. Ils vivent en effet dans la même évidence enracinée que «l'homme, c'est l'homme», qu'il est «limité», «mortel» – les uns estimant que l'«être plus» est du côté des dieux, les autres considérant qu'il n'existe pas. Ils ne se souviennent plus qu'on parlait autrefois d'«hommes réalisés», de «délivrés vivants», pour désigner ces femmes et ces hommes en qui la présence du Soi était devenue tout à fait consciente et naturelle... Parfois au terme d'une longue vie d'ascèse, parfois de façon plus spontanée – pas de «recette» –, ces sages et ces saints devenaient tout à coup la preuve vivante «d'autre chose».

Dans les différentes langues de sagesse de la Terre, on appelle cela l'Éveil. En ce qui concerne le bouddhisme, par exemple, le terme «*bodhi* est formé à partir du terme sanscrit BUDH, qui signifie "s'éveiller, être éveillé"»; « le bouddhisme n'a pas créé cette notion : il l'a héritée de la culture védique, où déjà elle signifiait la sortie du rêve de l'existence phénoménale, grâce à la connaissance parfaite, l'illumination, qui donne accès à la vraie Réalité, éternelle, simple et illimitée, celle qui ne déçoit pas»[*]. Bouddhistes, hindous, taoïstes, soufis musulmans, mystiques chrétiens ou juifs décrivent l'Éveil ou le réveil comme déchirement d'un voile d'illusion. Beaucoup insistent sur la soudaineté et l'imprévisibilité de cet instant sans retour qui *transperce*

---

[*] Paul Poupard (dir.), *Dictionnaire des religions*, PUF, 1984, t. I, p. 216.

le cœur et qui bouleverse toute l'expérience de soi. L'individu se «retrouve» soudain libéré de l'identification exclusive au petit moi, et il expérimente un «je suis» sans commune mesure avec le «je suis moi» du petit ego. Chaque «réalisé» ou «délivré-vivant» (le *jivan-mukta* de l'hindouisme) répond ensuite à ceux qui lui demandent «ce qui lui est arrivé» qu'il a été tout simplement débarrassé de la fausse identification de soi au moi ordinaire – dont nous nous contentons en croyant que c'est notre être même.

À chacun d'ouvrir son chemin

Les Tisserands du lien intérieur sont tous ceux qui ont pris conscience que nous étions sur le point de laisser perdre à jamais ces inestimables héritages. Ils se sont interrogés : comment renouer avec l'effort de réalisation de «l'homme dans l'homme»? Conscients qu'on est plus forts et plus intelligents ensemble que tout seul, ils se sont mis pour cela à rouvrir des espaces, dans nos sociétés, où l'on peut discuter librement de ce questionnement, où chacun peut réapprendre à rétablir par lui-même le dialogue entre l'homme du dedans et l'homme du dehors, le moi profond et le moi ordinaire.

En tant que Tisserand parmi tous les autres, j'ai voulu participer à cet effort de reconstruction de ces lieux où se tient une sorte de «parlement spirituel libre» – hors de tout système religieux, de toute doctrine et de toute idéologie –, où des femmes et des hommes de toutes provenances et identités se rencontrent et dialoguent. Il me semble capital aujourd'hui de redonner ainsi un véritable «droit de cité» au besoin de sens, et ce, de la façon la plus ouverte et démocratique. C'est un enjeu majeur pour nos sociétés que de faire à nouveau justice aux aspirations fondamentales de l'être humain en leur offrant le milieu, l'environnement social ou l'écosystème propice à leur mise en culture. Afin d'y contribuer, la psychologue Inès Weber et moi avons créé en 2015 un centre de culture et de recherche spirituelles d'un nouveau genre, ni universitaire ni religieux, où nous proposons d' « explorer, partager, réinventer le spirituel de notre temps». Nous l'avons appelé Sésame* pour symboliser la graine ou la semence de «l'homme intérieur», qu'il s'agit de faire germer dans notre âme. Son principe, très simple: offrir de se retrouver avec tous les autres selon une nouvelle sociabilité spirituelle, autrement dit, de se retrouver entre égaux, sans maîtres ni méthodes, sans frontières de cultures ni de convictions existentielles – chacun trouvant dans la compagnie de tous les autres, et dans des cours qui transmettent les héritages de toutes les

* www.centre-sesame.com

sagesses, philosophiques et religieuses, des ingrédients et une inspiration pour ouvrir son propre chemin de sens. Le Sésame est ainsi un «lieu vide et plein à la fois»: vide de toute doctrine particulière, parce que lors des cours et des dialogues, «tout est transmis, rien n'est enseigné»; plein de ce que la singularité des uns et des autres apporte au «pot commun».

Là, nous nous interrogeons notamment sur le mystère de la relation entre l'homme intérieur et l'homme extérieur. Que se passe-t-il entre eux? Quel lien les relie? C'est comme si s'établissait entre eux une circulation à double sens: l'homme intérieur inspire l'homme extérieur, l'homme extérieur incarne l'homme intérieur. De l'homme intérieur, l'homme extérieur reçoit une puissance de vie, une puissance d'être et d'agir – qui vient d'une source transcendante et qu'il peut investir comme une énergie créatrice supérieure dans tout ce qu'il fait. Le Soi, ou «homme intérieur», est essentiellement inspiration et activité créatrice – telle une fontaine d'être éternellement jaillissante.

Peut-on même «accéder» à ce seuil d'être et de conscience? On entend beaucoup parler aujourd'hui de «méditation de pleine conscience[*]» et de «pure

---

[*] Voir par exemple Jon Kabat-Zinn, *Méditer: 108 leçons de pleine conscience*, MP3, Marabout, 2011.

conscience». Mais en nous l'abysse est sans fond! Je me méfie donc beaucoup des discours qui prétendraient nous faire accéder à une «pleine conscience» de nous-mêmes, sans plus aucune obscurité. Il ne me semble pas non plus qu'on puisse ainsi «définir» et «atteindre» *le* but de la vie intérieure. Tout cela me semble relever d'un fantasme de maîtrise que je ne partage pas. Notre âme étant reliée à l'infini, je ne vois pas comment on pourrait en faire le tour. Je ne crois pas, en particulier, qu'il faille chercher à éliminer toute l'obscurité qui est en nous. Car la «nuit dans l'âme» n'est pas tant celle d'une éventuelle «noirceur» que d'un abîme insondable – la source mystérieuse de notre être, le chaos créateur intime que j'ai déjà évoqué ici. Ce qu'on peut inclure dans une «pleine conscience», si vaste soit-elle, laissera dès lors toujours hors de soi, et heureusement, l'essentiel, qui est impossible à capturer. Et si par conséquent l'idée rassurante d'une pleine conscience relevait de la méconnaissance, de la sous-estimation, voire de la peur du vide qu'on ne manque pas de découvrir lorsqu'on plonge suffisamment loin en soi?

Comment s'enfoncer dans l'obscurité intérieure sans se perdre en chemin? À chacun d'y trouver ses propres lanternes – ce qui n'empêche pas de demander des conseils ou de voyager avec d'autres. S'il fait nuit, il faut d'abord que le regard s'habitue pour que progressivement on distingue quelque chose. C'est ce qui se passe aussi lorsqu'on tente d'y voir clair en soi. Il s'agit de ne pas se laisser décourager par les ténèbres mais de persévérer, de lancer et relancer son regard en soi comme on fouille l'obscurité avec une torche. Comme dans tous les domaines, le progrès ne vient ici que de la constance dans l'effort, de la patience et de l'obstination avec lesquelles on se voue à cette recherche. Au jour le jour, cela se traduit déjà par quelques minutes prises pour une concentration patiente « au-dedans ». Il s'agit tout d'abord de trouver les bonnes conditions, de tranquillité, de quiétude, de silence, pour « tendre l'oreille vers l'intérieur ». À partir de cette attitude fondamentale de vigilance, sur quoi fixer son esprit ? C'est là que la liberté commence, c'est-à-dire l'exercice du choix et du discernement personnel. Chaque visée du Soi est unique. « Sur quoi vais-je méditer ? Qu'est-ce qui va me guider dans l'exploration de mon intériorité ? Est-ce que cela sera un ressenti, une idée, une question ? Qu'est-ce qui dans l'ensemble du réel va m'inspirer en me renvoyant comme dans un miroir une image où semble se crypter mon propre mystère ? En cherchant ainsi autour de moi, quelle expérience, quel paysage, quel visage me donnent l'impression – l'intuition – de me tendre l'énigme de mon âme ? »

Le choix d'hériter

On n'est cependant pas obligé d'inventer *ex nihilo* sa propre méthode de méditation. Être libre n'empêche pas de s'inspirer de ce qui a été fait par d'autres. L'équilibre est à trouver de façon personnelle, quelque part entre deux extrêmes : l'imitation mécanique d'une méthode trouvée ici ou là, l'autosuffisance qui prétend ne se nourrir de rien d'extérieur. En l'occurrence, nous avons derrière nous des millénaires de traditions de méditation, de recueillement, de prière ou d'oraison, en Orient et en Occident, dont il serait absurde de ne pas prendre connaissance – pour en faire ensuite ce qu'on a décidé : les adopter, les adapter, les réinventer… ou les laisser de côté ! Pour nous tous, le choix d'hériter ou pas est libre. Si l'un vient d'un milieu dans lequel il y a une tradition religieuse, rien ne doit le contraindre à en hériter : chacun s'appartient à lui-même, au lieu, comme on le dit trop souvent, d'« appartenir à une culture ». Si un autre n'en a pas, ou veut en changer, cela lui appartient et à nul autre.

Ces traditions nous proposent entre autres plusieurs grands symboles du moi le plus profond, susceptibles de nous aider dans notre effort de concentration intérieure – à chacun de voir. La méditation a ici l'embarras du choix. Cela peut être le nom ou le visage du Dieu créateur : Allâh dans l'islam, le Père dans le christianisme, Vishnu dans l'hindouisme qui se donne lui-même à contempler comme «le but, le soutien, le seigneur, le témoin, etc.» dans la Bhagavad Gîtâ*. Afin de visualiser l'origine et l'activité créatrice suprême, on peut choisir aussi les images naturelles du soleil, de la source, de la racine d'un arbre à la ramure infinie, etc. Les grands répertoires symboliques recèlent une multitude de représentations qui expriment l'apparition de l'univers entier à partir d'un centre créateur : la rosace chrétienne qui manifeste l'harmonie et la lumière répandues dans le cosmos à partir d'un cœur ; le *mandala* bouddhiste qui exprime les grandes forces à l'œuvre et en équilibre dynamique dans ce cosmos ; les paradis toujours représentés – dans les miniatures persanes par exemple – comme des jardins au centre desquels coulent des sources ou des fleuves. Toute méditation peut s'approprier ces images universelles, sans qu'il soit besoin d'appartenir à la culture qui les a enfantées. Point n'est besoin d'être chrétien, ni même d'avoir foi en un Dieu, pour méditer sur tout ce que suggère une sublime rosace d'église – c'est d'ailleurs la force de ces symbolismes que de s'offrir ainsi à la méditation de tous, l'analphabète et le savant, le croyant et le non croyant. Point n'est besoin non plus,

---

* Ysé Tardan-Masquelier, *L'hindouisme, Des origines védiques aux courants contemporains*, Bayard Editions, 1999, page 105

en fait, de se référer à tel ou tel de ces symbolismes religieux pour méditer sur le surgissement de l'être hors du non-être. Tout ce qui figure une naissance y suffit : l'image de l'enfant qui naît, celle de la petite tige fragile qui surgit du sol, etc.

Le lien intérieur : j'insiste sur ce point parce que c'est à mes yeux le plus décisif pour les Tisserands. Il est plus que temps qu'enfin la créativité, ou « liberté personnelle », soit revendiquée aussi dans ce domaine de la vie profonde où depuis la nuit des temps la religion a voulu imposer sa loi avec les réponses toutes faites fabriquées par ses chefs. L'heure est venue des autodidactes spirituels ! Souvenons-nous d'ailleurs que les plus grands maîtres du passé – toutes traditions confondues – décourageaient souvent leurs disciples de prendre les mêmes supports de méditation qu'eux, et les exhortaient... à se débrouiller tout seuls ! Le vrai maître, s'il y en a, tente toujours ainsi de se débarrasser de ceux qui voudraient être ses disciples (d'ailleurs en vain, la plupart du temps, tant le disciple a besoin qu'on lui fournisse une méthode prête à être appliquée, et tant l'homme peine à assumer sa liberté). Il leur dit qu'il ne sert à rien de vouloir le suivre : le chemin qu'il a emprunté lui-même s'est effacé au fur et à mesure qu'il le parcourait, et on n'est bien conduit vers l'« être plus » que sur le chemin qu'on trace soi-même...

La méditation peut aussi se faire invocation d'une formule qui est censée exprimer le mystère qui nous traverse comme il traverse tout l'univers. Là encore, on peut choisir telle ou telle inspiration du côté des anciennes voies. Les bouddhistes et les hindous pratiquent ainsi la répétition du mantra *Aum mani padme hum* – en référence à la fleur du lotus dont le plein épanouissement est une image de la réalisation du Soi: «À l'aide de la syllabe *Aum*, méditez sur ce Soi [...] Les êtres exercés à l'ascèse se rendent compte [...] de la pleine réalité du Soi qui resplendit en tant que félicité et immortalité*.» De leur côté, les mystiques musulmans – les soufis – concentrent leur méditation quotidienne dans l'invocation à voix basse du nom Allâh. Selon eux, en effet, Allâh est le nom même du Soi. Comme le dit Mohammed Iqbal «le Coran donne le nom Allâh à l'individualité de l'Ego ultime, pour la mettre en majesté**». Dans les confréries soufies, la musique était utilisée pour rendre mélodique et rythmer ce type de récitation – le propre d'une musique dite sacrée dans les univers traditionnels étant d'ouvrir une «nouvelle oreille», comme si soudain un «autre moi» en nous venait de se réveiller pour écouter. De nos jours, grâce à internet, aux CD, etc., tout un

* Sankara, *Commentaire sur la Mundaka Upanishad, op. cit.*, 1978, p. 60.
** *Reconstruire la pensée religieuse de l'islam, op. cit.*, p. 63.

chacun peut tenter ce type d'expérience en écoutant un *mounshid* (chanteur) soufi, un raga hindou, un Stabat Mater, ou toute autre musique inspirant sa vie intérieure.

Quant aux sagesses extrême-orientales, elles préconisent de se concentrer sur le Vide suprême. Étrange, non ? Elles se fondent sur le principe des vases communicants : plus on laisse le vide s'installer en soi, plus la place se libérerait pour la conscience du Soi. On vide l'intériorité des bruits du « mental » (agitation intérieure, troubles, appréhensions, impatiences, etc.) afin que dans ce silence la voix intérieure du Soi s'élève. On vide l'intériorité des perceptions du moi (pensées, désirs, émotions, sensations) pour que la Conscience du Soi la remplisse. Le vide révèle le Plein – la plénitude de l'Être essentiel. L'isolement du sage sur l'île ou la montagne déserte, illustrée par les calligraphes chinois, est une image ancestrale de ce vide intérieur à cultiver comme on fait un grand ménage de printemps ! Pour qu'autre chose soudain surgisse *à la place* et se révèle. La solitude, le silence, la nuit… autant de situations extérieures favorables à cette expérience. De façon analogue, toutes les ascèses religieuses relatives à l'humilité, à la pauvreté, au dénuement, au sacrifice de soi, au renoncement, au dépouillement à l'égard des biens matériels, sont autant de formes de cet exercice fondamental qui vise à « se vider de soi-même » pour que rien ne fasse plus obstacle à la manifestation du Soi. Les poètes nous suggèrent en effet que celui-ci serait comme la biche peureuse qui sort du bois seulement quand elle est sûre qu'il n'y a plus personne, ou bien cet oiseau craintif qui s'envole au moindre signe de présence. Plusieurs scénarios traditionnels, très simples comme celui-là, peuvent ainsi être très utiles parce qu'ils racontent l'histoire du rapport entre le moi et le Soi, et de la réintégration de l'un dans l'autre. Par exemple l'image de l'immersion de son propre corps dans l'océan. Pour le méditant, cet océan représente un être infiniment vaste, et se voir plonger en lui symbolise ou mime la plongée dans le Soi.

Difficulté d'être un autodidacte spirituel

Faute de cette très riche culture symbolique, qui structure la pensée et oriente l'effort de l'esprit, on risque de se priver d'immenses ressources. À chaque Tisserand d'y trouver l'inspiration qui lui convient et d'exercer à partir de là son imagination créatrice. Rien ne l'oblige à reprendre telles quelles les postures traditionnelles de la méditation, ni aucun rite, ni aucune règle ancienne, ni rien de tout ce que j'ai mentionné qui vient du passé. Tout cela n'est qu'une base. Face à ces héritages, nous sommes comme des hommes au milieu de vieilles bâtisses en ruine qui auraient compris qu'à présent elles sont trop délabrées pour qu'on les habite encore. Alors ils reprennent une à une leurs pierres et leurs morceaux de charpente pour aller reconstruire autre chose ailleurs…*A chacun désormais d'inventer sa voie spirituelle, de façon non pas solitaire mais personnelle: à chacun de devenir son propre maître; à chacun d'aider les autres à le faire.*

Ceux qui se moquent de cet effort – fait par beaucoup de monde aujourd'hui – pour façonner sa propre spiritualité ont tort. Je me souviens d'en avoir fait bien rire certains par exemple, et de m'être fait condamner par les «gardiens du temple» lorsque j'ai écrit *Self islam*, où je racontais précisément comment j'en étais arrivé à construire mon propre rapport à l'islam. Était-ce la solution de facilité? Est-ce vraiment du «spirituel à la carte» que de tracer son propre chemin? Tout au contraire. Ce qui est facile et paresseux, c'est de suivre comme hier et avant-hier des voies toutes tracées, par la tradition ou par tous ceux qui osent encore aujourd'hui se considérer comme des «guides religieux». Qui les a faits rois? Les dieux? Non, bien sûr. Ils se sont de tout temps autoproclamés, ils se sont délivré leurs titres entre eux, et ils ont voulu devenir les chefs sur de grandes autoroutes spirituelles encombrées, dont ils gardent jalousement les péages, et sur lesquelles comme des bergers avides ils ont entassé des troupeaux de fidèles. Dans ce domaine comme ailleurs, rien de plus difficile en réalité que de sortir de ce type de sentiers battus. Rien de plus exigeant, de plus noble aussi et de plus digne de l'être humain que de tracer sa propre voie. Cette liberté est aussi redoutable qu'exaltante, notamment parce qu'en plus de requérir du courage il lui faut éviter deux risques majeurs : l'ignorance et l'individualisme. L'autodidacte spirituel aura à s'en prémunir, faute de quoi son effort de construire son propre chemin n'aboutira nulle part. Contre les périls de l'ignorance qui le feraient avancer à l'aveuglette et se perdre en prenant des vessies pour des lanternes, il lui faudra se constituer une culture suffisante – à lui, on le répète, de la chercher où il veut.

Quant au risque de l'individualisme, il est aussi celui de la solitude. S'il vaut mieux être seul que mal accompagné, et donc éviter les gourous et autres fabricants de recette d'Éveil, il s'agira pourtant comme dans toute aventure humaine de trouver des compagnons de route pour former avec eux ce que j'ai appelé plus haut une nouvelle sociabilité spirituelle sans frontières ni hiérarchie : non plus donc une communauté religieuse fermée sur elle-même, ni un yoga avec des gourous qui commandent, mais une Société d'Amis Tisserands la plus ouverte possible (sans les barrières anciennes entre croyants, agnostiques et athées), « une communauté de recherche, d'entraide de soutien

propre existence ni aux conditions de la vie moderne. Tel autre s'est essayé à une multitude de méthodes de yoga, de respiration, de relaxation, de méditation mais sans réussir à se fixer durablement sur aucune. L'océan des sagesses théoriques et pratiques du passé est à peu près sans rivages, et je ne compte plus ceux que j'ai vu s'y précipiter pour y sombrer bientôt corps et âme au lieu de commencer simplement par construire leur propre barque...

On peut le dire comme un paradoxe : plus une voie du passé paraît fiable, plus cela vaut la peine de la réinventer complètement par soi-même ; plus un maître du passé ou du présent paraît sage, plus il est sage de le fuir. *Celui dont vous apprendrez le plus est celui qui vous en aura dit le moins.* C'est la (seule) leçon que je retiens du sage hindou Ramana Maharshi. Son enseignement rudimentaire se réduisait à ceci : la distinction entre le moi et le Soi ; l'illusion ordinaire de l'identification au moi ; la visée du Soi comme notre identité la plus profonde ; l'impossibilité de parler du mystère du Soi, fait d'expérience aussi incommunicable qu'un sentiment (d'amour ou d'émerveillement devant une œuvre d'art). Je considère le Maharshi, mort en 1950, comme mon grand frère spirituel. En ne me disant presque rien, il m'a laissé libre. C'est en ce sens-là qu'il m'a beaucoup plus appris que tous les grands traités de métaphysique et d'initiation des sages soufis de ma culture musulmane. Plus je m'avançais dans leur complication, plus je voyais leur infinie sagesse comme une toile d'araignée où comme une pauvre mouche je venais m'engluer. Mon cœur est toujours auprès du Maharshi dans son ashram de Tiruvannamalai, en Inde du Sud. Je l'aime parce qu'il disait «il n'y a rien à comprendre», «rien à faire», car l'illusion du petit moi n'est après tout qu'une illusion – quelque chose qui n'existe pas... À ses visiteurs qui attendaient monts et merveilles, il présentait la quête du Soi avec une simplicité et une bonhomie désarmantes. Il ne conseillait jamais qu'un seul exercice, pas très fatigant: fixer son esprit sur la question «Qui suis-je?» Posez-vous cette unique question, disait-il. En essayant de scruter en vous-mêmes le point de conscience d'où surgit en permanence le flot de vos pensées, de vos désirs, émotions, sensations. C'est comme de remonter un fleuve jusqu'à sa source. Ou bien, disait-il encore, vous êtes comme un comédien sur une scène de théâtre: de même qu'il lui faudrait être fou pour s'identifier à son personnage, le petit moi serait bien fou de se prendre pour notre être même... Il est en fait comme «une bulle d'eau à la surface de l'océan», l'océan du Soi; et «la bulle d'eau, lorsqu'elle éclate, ne fait que se mêler à l'océan», alors même que, «quand elle est bulle, elle fait toujours partie de l'océan».

Libération politique, libération intérieure

Le Maharshi disait que la visée du Soi est l'unité de but de toutes les voies de l'humanité : «... les religions, les sectes, les dogmes. À quoi servent-ils*?» Uniquement à faire expérimenter la présence impartageable, intraduisible, indicible du Soi. Ce sont des aides et des pratiques dont on a besoin pour faire goûter le parfum subtil du Soi. Que le bouddhisme ou le taoïsme nous parlent de la vacuité, du Vide suprême, et que les religions monothéistes nous parlent de Dieu, la diversité des rituels et des cérémonies traditionnelles ne doit pas nous abuser. La multiplicité de leurs rituels n'est que la prolifération des mises en scène et des mises en œuvre de la quête du Soi – cette variété étant relative au génie de chaque peuple, de chaque culture du monde. Derrière ces formes se tient encore et toujours la même finalité, qui est de mettre l'être humain dans la disposition intérieure propice à la circulation du courant entre le petit moi et les ténèbres créatrices de l'intériorité. Mais combien de pratiquants et d'officiants de tous ces rites de la Terre ont conscience de cette finalité ultime du lien à soi? Très peu. La plupart n'ont conscience que des finalités «intermédiaires»

---

* Entendu au sens premier : les différents courants, écoles, théories de vie spirituelle.

ou métaphoriques des rites: entrer en communication avec les dieux ou les esprits, aller au Paradis ou «gagner» une bonne réincarnation, etc.

La présence et l'expression de notre moi profond sont pour celui-ci une libération – il est comme un prisonnier qu'on fait remonter des oubliettes d'un château fort. Que de plus en plus de Tisserands œuvrent aujourd'hui à cette libération m'apparaît comme une sorte de couronnement pour notre civilisation de la liberté, comme le prolongement final de toutes les luttes de libération des deux siècles précédents, toutes les luttes de libération politique des peuples qui ont à présent l'occasion de culminer dans cette lutte ultime de libération intérieure. J'espère que les Tisserands parviendront à faire entendre ceci: aujourd'hui, la relève de tous les combats politiques des époques précédentes peut être prise par un immense combat métapolitique à mener pour notre délivrance de la servitude par excellence, l'enfermement dans la prison d'ignorance du petit moi.

Quand on observe de près le discours et la pratique des Tisserands du lien intérieur, on constate d'ailleurs qu'ils associent presque systématiquement spiritualité et liberté. Que la liberté personnelle est pour eux l'exigence primordiale. Ils ne réclament pas seulement d'être libres de pratiquer une religion ou une méthode de méditation, ils veulent aussi être libres vis-à-vis de celles-ci. Lorsqu'ils reprennent tel ou tel héritage pour alimenter leur démarche personnelle, ils rejettent «d'instinct» tout ce qui dans les traditions religieuses est synonyme de soumission à des dogmes. Qu'ils soient juifs, chrétiens, musulmans, hindous, ou de n'importe quelle obédience, il est frappant de constater qu'ils commencent toujours par désosser le système pour ne reprendre à leur compte que ce avec quoi ils se sentent bien, en plein accord personnel... Ainsi nombre de «nouveaux croyants» diront-ils volontiers que leur foi leur permet d'exprimer qui ils sont vraiment, la pratique religieuse glissant désormais irrésistiblement du rapport à Dieu vers le rapport à soi, le «souci de soi[*]».

Au lieu de chercher des gourous, des maîtres, des directeurs de conscience ou des conseillers spirituels comme l'étaient les rabbins, les prêtres ou les imams, ces Tisserands croyants revendiquent de se guider eux-mêmes en écoutant la voix de leur «maître intérieur». S'ils obéissent encore à des préceptes traditionnels, ou à des «lois religieuses», néanmoins ils ne supportent pas qu'on les leur impose et ils veulent choisir, exercer leur libre arbitre. S'ils se rassemblent dans des lieux

[*]Voir à ce sujet Olivier Roy, *L'Islam mondialisé*, Seuil, 2004.

consacrés à la vie intérieure, c'est à la condition de ne plus y trouver des maîtres de religion, mais une fraternité sans hiérarchie. De façon tout à fait caractéristique de cet immense besoin de liberté – et même si ce n'est qu'un exemple parmi d'autres – l'École occidentale de méditation fondée il y a quelques années par Fabrice Midal cite Carl Gustav Jung: «Que chacun cherche son propre chemin.» Elle explique sur sa page d'accueil que cette parole met bien en garde contre «le danger qui menace toute transmission spirituelle et philosophique réelle. L'enjeu est avant tout d'inviter chacun à prendre le risque de son propre chemin, de chercher à en prendre la responsabilité. L'école ne repose pas sur un maître et encore moins un gourou. Elle est un espace de travail où chacun est libre de cheminer à sa guise. L'école est une association au sens fort du terme et elle se consacre donc à établir une communauté de pratiquants qui ont plaisir à pratiquer ensemble et à explorer le sens de la pratique – en laissant chacun libre de trouver les conditions de son propre chemin *.»

Certes, il y a encore des myriades de croyants et d'adeptes, partout dans le monde, qui ne veulent qu'obéir à un dieu, s'asseoir aux pieds d'un maître,

* http://www.ecole-occidentale-meditation.com/fr/ecole-occidentale-meditation.html

suivre une tradition sans trop se poser de questions, accorder à la «loi religieuse» une supériorité sur la liberté de conscience. Mais le nombre n'y fait rien. Tant que la révolution n'a pas éclaté, on croit que rien ne bougera jamais. Or nous sommes au seuil d'une *révolution spirituelle*, la révolution de la liberté, et comme les révolutions politiques des siècles précédents, elle prendra de court tous ceux qui n'ont pas prêté assez l'oreille aux phénomènes annonciateurs.

De la souffrance à la joie

Les sages que j'ai cités exhortaient tous à se concentrer sans relâche sur l'homme intérieur, afin que cesse non seulement l'illusion de notre identification avec l'homme extérieur mais la douleur de vivre séparés de nous-mêmes. Or quelle est la cause de la grande souffrance de l'homme moderne et contemporain? Pourquoi se plaint-il si fréquemment de «mal-être», d'«insatisfaction chronique», de multiples «frustrations» ou «sentiments d'un manque», de diverses «névroses» psychologiques? Nous mettons cela sur le compte de différentes causes: une enfance traumatisante, le mauvais climat de telle famille ou de telle société, la vie toujours trop pressée, la pression des modèles de réussite... Et si pourtant, en plus de tout cela, c'était plus profond ? S'il s'agissait de la souffrance existentielle de vivre divorcé de notre Être essentiel ? La racine du mal me semble bien être cet écartèlement confusément ressenti entre notre conscience ordinaire de nous-mêmes et des niveaux de conscience qui nous attendent quelque part au fond de nous-mêmes, mais que nous ne savons atteindre ? Karlfried Graf Dürckheim avait perçu cela de façon très nette : « Le malaise de l'homme contemporain, "héritier des temps modernes", tient avant tout au fait que son axe vital n'est plus le Soi divin présent en sa conscience intime, mais le moi profane qui l'emprisonne [...] Le comble de l'immaturité et de la servitude est donc l'attitude où l'homme, se croyant capable d'indépendance à l'égard de son Être essentiel, fait de sa conscience [basique, ordinaire] du réel, où la transcendance n'a pas de place, l'instance suprême [le juge du réel et du vrai]. Il aboutit alors fatalement à une souffrance de plus en plus grande où s'exprime le refoulement de son Être essentiel*. »

À l'inverse, le lien intérieur nous rend vivants et heureux. Il est la clé du vrai bonheur ou de la *joie* la plus souveraine et durable. Car il nous rend de plus en plus créateurs, il nous communique une part de la

---

* Karlfried Graf Dürckheim, *L'Homme et sa double origine*, Albin Michel, 1996, page 34

puissance créatrice du Soi. Être vivant en effet, c'est cela : s'éprouver créateur, soit que je crée moi-même soit que je sente passer à travers moi la puissance créatrice de la vie tout entière (c'est au fond la même chose). Or, comme l'a bien vu Henri Bergson, « plus riche est la création, plus profonde est la joie. La mère qui regarde son enfant est joyeuse, parce qu'elle a conscience de l'avoir créé, physiquement et moralement [...] celui qui est sûr, absolument sûr, d'avoir produit une œuvre viable et durable, celui-là n'a plus que faire de l'éloge et se sent au-dessus de la gloire, parce qu'il est créateur, parce qu'il le sait, et parce que la joie qu'il éprouve est une joie divine*. » Comme Baruch Spinoza au XVIIe siècle, Bergson insiste sur le fait que nous ne pouvons accéder à une vraie joie, à une liberté véritable, à une force authentique qu'à la condition d'aller chercher au fond de nous-mêmes la puissance créatrice qui s'y trouve cachée, enfouie comme un trésor.

Creusons notre âme comme ce sol où l'on cherche une source – pas n'importe laquelle mais cette source du cœur dont parle Jésus dans l'Évangile de Jean (7, 38) : « Celui qui croit en moi, comme dit l'Écriture : des fleuves d'eau vive couleront de son cœur. » Cette image m'émeut chaque fois *en profondeur* – au sens où elle me permet de contempler spontanément en moi

* Henri Bergson, *L'Energie spirituelle*, Payot, 2012.

la source de jaillissement de ces fleuves. Elle symbolise à mes yeux le Soi perpétuellement créateur, qu'on ne «possède» jamais, mais qui, comme l'eau libre de la rivière ou de la fontaine, surgit sans que nos mains puissent l'attraper. Spinoza dit que la joie pure, que les bouddhistes et les chrétiens appellent «béatitude», nous est donnée au moment où cette source est dégagée en nous. Voilà encore une image possible pour la méditation. Que chaque apprenti Tisserand du lien intérieur se demande si elle l'inspire.

Se voir soi-même en train de creuser avec les mains la terre noire de ses propres profondeurs.

S'exercer à voir cette terre devenir humide, puis à voir une eau claire en émerger, une eau lumineuse, puissante et fraîche.

S'asseoir auprès de cette source pour contempler sereinement le jardin si vert que cette eau de lumière fait naître tout autour...

Lorsque l'homme en méditation arrive à se percevoir ainsi, comme paisiblement installé près de la source dans le jardin, il contemple en réalité le point d'émergence du Soi au cœur de l'intériorité, et l'activité infiniment créatrice du Soi symbolisée aussi bien par le jaillissement de la source que par la luxuriance des plantes, des fleurs et des fruits du jardin. Qu'il se maintienne dans cette vision le plus possible, et le processus d'inspiration/incarnation entre le moi et le Soi débutera en lui. Il en ressentira vite les premiers effets. Une fois le canal ouvert entre le Soi et le moi, l'individu éprouvera un surcroît d'énergie vitale. Cela se manifestera par ce qu'on peut appeler, de façon générale, «état d'inspiration»: une joie profonde prise à ce que l'on fait; une vitalité nouvelle; une imagination créatrice qui s'exprime dans des choix de vie plus personnels, plus conscients; une faculté croissante d'ordonner toute son existence dans l'axe de ces choix fondamentaux. Tout se passe alors comme si soudain la vie se mettait à répondre bien davantage à nos appels. Nos efforts pour vivre selon ce qui s'est ouvert en nous ne rencontrent plus l'indifférence ou la résistance du monde. Au contraire, celui-ci semble nous donner maintenant de plus en plus de chances d'exprimer ce que nous portons en nous. Le sens remonté du dedans trouve spontanément sa place au dehors. Toutes choses deviennent nos alliées. À la place des murs auxquels nous nous heurtions, ce sont des portes que maintenant nous rencontrons partout, et qui s'ouvrent les unes après les autres selon une mystérieuse continuité. Nous nous épuisons alors beaucoup moins à lutter. Plus la voie intérieure vers le Soi est dégagée, plus à son tour la route extérieure s'ouvre facilement. *La vie répond à nos appels, signe que notre Être essentiel a commencé sa migration du dedans vers le dehors.* C'est lui qui se met à «descendre continuellement» n'est pas relié à l'homme intérieur. Cultiver le lien avec notre intériorité nous donne accès aux ressources de la conscience supérieure du Soi, grâce à laquelle nous avons plus de chance ensuite de faire les bons choix sociaux pour que règnent la paix et la justice. De la sagesse du Soi à la sagesse politique, il y aurait un rapport de cause à effet : «Les anciens qui voulaient faire montre de vertus illustres dans tout l'Empire s'attachaient à mettre de l'ordre dans leurs propres États. Voulant mettre de l'ordre dans leurs États, ils s'attachaient à mettre de l'ordre dans leur famille. Voulant ordonner leur famille, ils s'attachaient à cultiver leur personne. Voulant cultiver leur personne, ils s'attachaient à rectifier leur cœur. Voulant rectifier leur cœur, ils s'attachaient à la sincérité de leurs pensées. Voulant la sincérité de leurs pensées, ils s'attachaient à étendre le plus possible leur savoir. Une telle extension du savoir repose sur la curiosité de toutes choses... Du Fils du Ciel à la masse du peuple, tous doivent considérer que cultiver la personne est la racine de tout le reste.»

Moralité : les trois fils du Triple Lien sont à nouer ensemble, à partir du nœud central du lien à soi.

«Nos architectures intérieures sont la base de nos constructions extérieures [*].»

---

[*] Yvan Maltcheff, *Les Nouveaux Collectifs citoyens*, Éditions Yves Michel, Pratiques et Perspectives, 2011, p. 121.

On peut tirer de cela le double axiome du Tisserand :

Pas de lien tissé à l'extérieur de soi qui ait la solidité nécessaire s'il n'est pas relié à partir du fil d'or du lien tissé à l'intérieur de soi.

Pas de lien tissé à l'intérieur de soi qui atteint son but s'il n'est pas relié et consacré aux liens tissés hors de soi.

La modernité a voulu «mettre l'individu au centre» et l'on entend souvent aujourd'hui qu'il faudrait «remettre l'humain au centre de sociétés déshumanisées». Pour que l'objectif soit juste, encore faudrait-il commencer par recentrer l'individu sur lui-même! L'axer sur la culture centrale, déterminante, du lien à soi – sans laquelle selon Confucius il n'y a ni sagesse personnelle ni justice sociale. Faute de cela, on continuera aveuglément à centrer la civilisation sur un individu décentré, c'est-à-dire sur un être qui n'a pas fait l'effort de se trouver mais qui vit dans l'ignorance à la surface de soi. Les deux siècles qui précèdent ont commis cette tragique erreur d'axer le monde sur un homme désaxé. Comment s'étonner ensuite que jusqu'à aujourd'hui la toupie de la civilisation parte en vrille?

Pré-Tisserands - précurseurs

L'enjeu toutefois n'est pas là seulement. Une chose est de relier chaque Tisserand à lui-même. Une seconde nécessité, toute aussi impérieuse, est de travailler au lien entre tous les Tisserands. Comment relier entre eux les recréateurs de lien ? Comment donner à l'effort de tous les Tisserands la puissance décisive d'une synergie ? Deux difficultés existent ici, qui tiennent à l'histoire des XIXᵉ et XXᵉ siècles.

On a eu d'un côté ceux que j'appelle les Pré-Tisserands politiques – Tisserands avant l'heure, précurseurs de nos Tisserands contemporains. Ils se sont battus en humanistes pour la qualité des liens sociaux, et l'amélioration de la société, l'obtention de droits sociaux et politiques fondamentaux, l'égalité, la solidarité, la paix, l'éducation des masses et l'indépendance des peuples ; contre la misère, l'exploitation de l'homme par l'homme, les écarts de richesses, les dictatures et totalitarismes. Mais toutes ces luttes se sont trop souvent limitées au plan politique, sans intuition suffisante qu'une société a d'autant plus de chances de changer que ses membres travaillent d'abord sur eux-mêmes, dans le sens d'un progrès de conscience. Ces militants et intellectuels n'avaient généralement qu'une médiocre connaissance des héritages de sagesse (à l'intérieur d'une modernité qui réduisait le spirituel au religieux, et qui rejetait souvent tout cela en bloc), et pas ou peu de projet de transformation personnelle : exception faite de mouvements minoritaires comme celui du christianisme social, ils ne liaient pas le progrès politique au progrès de l'âme. Leur humanisme fondé sur l'idée qu'il «faut éduquer les masses», «aider les peuples à s'émanciper», «se battre pour l'égalité des droits», etc. était certes très puissant. Mais il avait véritablement perdu la conscience de ce dont parle Confucius : l'idée que le point de levier de tout cela est dans la transformation de l'intériorité... N'est-ce pas là d'ailleurs une cause profonde de l'échec de la modernité politique, aujourd'hui constatable, à réaliser ses idéaux ?

À l'inverse, les individus qui, durant les deux siècles précédents, se sont engagés dans une quête intérieure restaient – à quelques exceptions près – à l'écart de la société et ne menaient pas de combat politique. La démarche de ces Pré-Tisserands du lien intérieur était individuelle, voire individualiste ; elle les poussait à se retirer du monde au lieu de s'y impliquer pour travailler de l'intérieur à son changement. Ils choisissaient ainsi de s'isoler – dans des communautés rurales comme celles du Larzac, des monastères, des ashrams, – pour prendre leurs distances par rapport à une société moderne jugée beaucoup trop matérialiste pour qu'il soit possible d'y mener une vraie quête de sens. Tandis que les autres – les politiques – choisissaient la réforme ou la révolution politiques sans la transformation personnelle, eux s'engageaient dans la transformation personnelle

sans aucun investissement politique. Voilà, hélas!
comment les Pré-Tisserands des XIXe et XXe siècles ont
vécu en parallèle sans se reconnaître ni s'associer;
sans unir en eux-mêmes les deux dimensions, exception faite de quelques figures «complètes» comme
Gandhi ou Martin Luther King, qui alliaient dans leur
vie et leur parole les deux engagements politique et
spirituel.

Il est difficile cependant de jeter la pierre aux Pré-
Tisserands du lien social: il y avait tellement de luttes
à mener, tellement de servitudes et de misères – et il
en reste tant aujourd'hui! Mais comment ne pas être
stupéfait qu'après deux siècles de progrès politique
et technique le tissu du monde à nouveau se déchire
autant? Cela ne donne-t-il pas l'indication que le progrès politique «tout seul» ne peut pas être durable?
Et cela ne donne-t-il donc pas raison à Confucius?
Mais de leur côté, les Pré-Tisserands du lien intérieur ont fait l'erreur inverse, en estimant de façon
un peu trop optimiste ou naïve que la réforme de soi
entraîne automatiquement la réforme du monde –
autrement dit, qu'il «suffirait» que chaque homme
travaille sur son âme pour que le monde aille mieux.
Les Tisserands d'aujourd'hui sont sans doute – espé-
rons-le et travaillons-y – moins idéalistes. Nombre
d'entre eux ont déjà bien conscience qu'il est temps
d'unir les efforts, d'associer ce qui est ainsi resté trop

longtemps dissocié : le combat politique et le cheminement intérieur *, le bouleversement du monde et la
métamorphose de soi, le progrès social et le progrès
d'être – chacun étant simultanément *moyen* et *fin* de
l'autre.

Oui, c'est un livre étrange

Trouvez-vous étrange ce livre où il est question
autant de politique que de sagesse ? Oui, c'est délibé-
rément un livre étrange, un drôle d'essai de spiritualité
politique et un traité de politique spirituelle. J'essaie en
effet d'être un « méditant engagé **», qui considère les
deux engagements comme inséparables. Nous ne pouvons plus nous permettre de les dissocier. Leur réunion marquera d'ailleurs notre véritable entrée dans le
XXIe siècle. Le lien entre contemplation et action, que la
modernité a dénoué, est encore un lien à renouer, dans
un monde humain qui verra tous ses grands domaines
se rapprocher après deux siècles au moins de séparation : le spirituel du politique, mais aussi de la science,
l'art, la culture dans son ensemble. À cette fin, il me

* Je ne dis pas le « combat intérieur », parce que l'être humain n'a
pas à lutter contre lui-même mais à unifier toutes ses forces dans une
direction de vie conforme à ce qu'il porte au plus profond de soi.
** « Abdennour Bidar, méditant engagé », *La Croix*, 27 avril 2015.

paraît impératif... d'écrire un nouveau genre de livres transversaux, transdisciplinaires, qui allient la question de la vie sociale et la question de la vie intérieure ; et d'autres (ou les mêmes) dans lesquels le savoir scientifique et la sagesse s'inspireront mutuellement. Je n'ai rien, bien sûr, contre ceux qui se cantonnent dans un seul domaine, qui écrivent soit des traités de vie intérieure, soit des ouvrages de réflexion politique. Mais je crois qu'il est temps de passer à autre chose, de faire dialoguer tous les champs de l'investigation du monde par l'esprit humain et de les faire se féconder. La volonté de tous les politiques et les intellectuels de continuer à «fabriquer du sens» et à «fabriquer de la civilisation» à la mode du XXe siècle, c'est-à-dire de manière totalement plate, sans horizon de sagesse, mais uniquement à coup de considérations géopolitiques, économiques et sociologiques, est un anachronisme flagrant. Ce temps-là est fini! Retrouvons l'inspiration rare et complexe d'un Léon Tolstoï, d'un Romain Rolland, d'un Jean Jaurès. Eux savaient en effet *incarner* tout autre chose : l'union dans une personnalité, un engagement, de la conscience spirituelle et de la conscience politique! En eux la dimension intérieure était extériorisée, le combat social était spiritualisé. Leur vie intérieure et leur lutte sociale se fécondaient l'une l'autre. Grâce à cela, leurs écrits et leur action dans le monde rayonnaient d'un les peuples, partout où ils ont acquis assez de droits politiques et de confort matériel? À quoi aspirent-ils? Notre époque est celle du «besoin de sens» et du besoin de communier sans frontières autour de grandes espérances et de grands idéaux. Sens, fraternité, partage: les différents fils de la vie reliée au-dedans et au dehors. Or, nos classes politiques et nos grands décideurs internationaux ne disent strictement rien de cela! Sur tous les continents, et qu'ils soient progressistes ou conservateurs, démocrates ou républicains, libéraux ou socialistes, ils vivent encore en plein XXe siècle, quand le monde humain se donnait l'illusion que les questions relatives au sens de la vie étaient devenues une affaire purement privée. Or voilà qu'à présent elles reviennent partout au centre des affaires de la cité, et nous ne ferons repartir le progrès humain qu'en le mettant au service de la prise en charge de ces aspirations fondamentales, qui sont l'énergie du monde à venir.

C'est pourquoi les Tisserands du lien intérieur ne peuvent plus se contenter de leur posture traditionnelle, en retrait du monde. On attend leur *coming out*, leur descente dans l'arène sociale et politique. Et je les appelle donc ici à devenir les premiers acteurs d'une révolution de civilisation; à surmonter pour cela leur réflexe naturel de se tenir à l'écart, de songer seulement à leur propre chemin de vie personnel et de s'engager uniquement dans des fraternités discrètes comme la franc-maçonnerie. En avant, natures contemplatives, montez au créneau, sortez de vos lieux de retraite et levez-vous de vos coussins de méditation! Debout, les chercheurs de sagesse, faites irruption dans la société! De façon complémentaire, j'exhorte avec la même insistance les Tisserands du lien social à spiritualiser leur démarche, à rentrer en eux-mêmes avec le même élan qu'ils ont au dehors! Sans ce double élargissement, sans cette hybridation des deux cultures d'engagement intérieur et extérieur, les Tisserands se heurteront à des résistances trop puissantes du «monde en place» pour espérer renverser son ordre établi.

Le Soi contre l'Hydre de l'argent

Contre cet ordre établi, un premier front s'est déjà ouvert. Une première alliance objective entre Tisserands s'est nouée. Il me semble en effet que les Tisserands du lien social et les Tisserands du lien à la nature se sont rejoints pour lutter ensemble contre le culte de l'argent. Les uns et les autres ont bien pris conscience en effet qu'il est leur ennemi commun, leur adversaire principal. C'est lui le grand déchireur du monde, lui, l'Hégémon du mal (son général en

chef), qui détruit aussi bien les liens de nos sociétés que les liens entre l'homme et la nature. Ce sont
le faux dieu Profit et la déesse Cupidité qui creusent
aussi bien les inégalités entre riches et pauvres et qui
nous font exploiter la nature jusqu'à sa destruction.
Ne nous y trompons pas. Ayons la lucidité de pointer
du doigt ce nouveau totalitarisme. L'ennemi public
numéro un de la civilisation humaine aujourd'hui
n'est pas la monstruosité du terrorisme islamiste –
dont j'ai parlé ailleurs*. Derrière ce monstre, il y en
a un autre incomparablement plus puissant parce
qu'hégémonique : l'Hydre de l'argent, qui se tapit
dans l'ombre, derrière à peu près tous les conflits du
monde, et qui livre les masses humaines comme les
ressources naturelles aux crocs de ses innombrables
têtes prédatrices, prêtes à toutes les exactions pour
assouvir leur appétit…

Ne nous moquons pas si facilement des adolescents
convaincus par les théories du complot qui ont tant
de succès sur le Net. Elles sont toutes fausses, bien
entendu. Mais elles nous parlent de façon subliminale
de notre monde contemporain. Ayons en effet la lucidité de voir ce qui se passe derrière l'écran de fumée de
différences idéologiques, toutes devenues secondaires,
voire factices : la lutte des classes a repris de plus belle

---

* *Lettre ouverte au monde musulman*, Les Liens qui libèrent, 2015.

et, comme l'a dit Warren Buffet, « [la sienne] est en train de la gagner. Elle ne devrait pas*.» Que le dieu Profit fasse semblant de se dissimuler ou pas, que le pouvoir en place soit ouvertement une oligarchie ou une plou-tocratie, ou bien qu'il se réclame du libéralisme ou de la social-démocratie, qu'il soit de droite ou de gauche, laïque ou religieux, cela ne change strictement rien si ce n'est en façade. Désormais, c'est seulement selon une différence de proportion et de transparence que dans tous les États du monde la logique de l'argent règne en maître. Sa main noire asphyxie la Terre entière – en lui serrant la gorge par l'intermédiaire de toutes les organisations internationales et à peu près toutes les politiques gouvernementales.

Que faire face à cette pieuvre affreuse aux tenta-cules à peu près innombrables et toutes puissantes? Les Tisserands du lien social et du lien à la nature ne se laissent pourtant plus réduire au silence. L'insurrection des consciences gagne du terrain, toujours plus de ter-rain. Ils sont de plus en plus nombreux en effet à se lever contre la logique dominante et à proclamer qu'un autre monde est bel et bien possible. Ils sont de plus en plus nombreux à placer leurs relations sociales sous

* http://lespoir.jimdo.com/2014/10/28/warren-buffett-c-est-la-lutte-des-classes-ma-classe-est-en-train-de-la-gagner-elle-ne-devrait-pas/

le signe d'un nouveau paradigme: le partage équitable au lieu de la lutte pour le profit.

Que pèsent ces nouveaux résistants? Quelle est leur chance à moyen terme de renverser le système dominant? J'ai déjà dit que la première condition pour vaincre sera la mise en réseau de tous les Tisserands – l'union fait la force. Mais le nombre ne suffira cependant pas. La quantité ne suffira pas. Il faudra une seconde condition, bien plus importante encore, une condition qualitative: l'alimentation de tous les combats par l'«énergie spirituelle» prise à sa source dans la puissance créatrice du Soi. Contre l'Hydre de l'argent, seule la ressource suprême au cœur de l'être humain pourra vaincre. Il va falloir, par conséquent, que chaque Tisserand et chaque groupe de Tisserands travaillent toujours simultanément sur les trois liens – d'abord le lien au moi profond, puis les liens à autrui et à la nature – pour qu'en permanence l'énergie la plus hors monde puisée dans le lien avec ce qui émerge au fond du fond de notre propre intériorité, *irrigue* de son énergie venue d'ailleurs le combat mené sur le front des deux autres liens: plus de lutte sociale ni écologique sans travail sur soi.

Un certain nombre de consciences commencent à le comprendre et à appréhender ainsi comme un tout la transformation personnelle et la transformation sociale. En France, l'association Interactions TP-TS

(Transformation personnelle-Transformation sociale[*]) thématise dans sa charte[**] «l'idée selon laquelle la santé de nos sociétés et de nos collectifs (associations, institutions, entreprises…) est directement liée à la qualité des relations interpersonnelles» et que la condition de l'amélioration de toutes ces relations interpersonnelles qui tissent le lien social est elle-même subordonnée à la qualité du lien de chacun à lui-même. On retrouve ici la même intuition que chez Confucius: la santé du lien à soi prédétermine et inspire la santé de tous les autres liens. C'est pourquoi, comme le soulignait Edgar Morin, il serait déterminant d'agir «en commençant par le problème de l'autoexamen»: la première de toutes les réformes est la «réforme individuelle» parce que «cette réforme de l'esprit touche à tout. C'est un aspect nucléaire mais de quelque chose qui est relié à tout le contexte humain[***]». La transformation personnelle comme «aspect nucléaire»: l'expression de Morin est féconde à deux niveaux de compréhension. D'une part, elle indique bien que la santé du lien au Soi est le *noyau*,

[*] https://fr.wikipedia.org/wiki/Interactions_Transformation_Personnelle_-_Transformation_Sociale
[**] http://www.interactions-tpts.net/IMG/pdf/Presentation_Interaction_TP-TS_fin_2010.pdf
[***] Extrait d'un entretien paru dans *Transversales Science/Culture*, 2000.

la semence de toutes les autres santés – du lien à autrui, du lien à la nature. D'autre part, elle suggère une puissance qui est celle du «nucléaire»: n'est-ce pas en déclenchant cette «énergie nucléaire» de la transformation personnelle vers le Soi que la «réaction en chaîne» de toutes les transformations sociales serait rendue enfin irrésistible?

Symbiose et amour

L'utopie d'un monde humain fondé sur la qualité des liens est en marche. Les Tisserands y travaillent. Nous venons de voir quelles forces leur manquent encore pour réussir à renverser l'ordre établi. Mais déjà ce sont des millions de femmes et d'hommes qui se sont engagés à des degrés divers dans la voie de la culture du Triple Lien. Le livre d'Ivan Maltcheff consacré aux nouveaux collectifs citoyens témoigne que déjà «un vaste mouvement fait de millions de personnes porteuses d'engagements et d'espérances est en marche, invisible sur les écrans de l'audimat, invisible aux yeux de ceux qui ne le connaissent pas» mais qui «commence à travailler les profondeurs de nos sociétés et de nos psychés» * à partir d'un principe directeur

* Ivan Maltcheff, *Les Nouveaux Collectifs citoyens, op. cit.*, p. 119.

de la coopération symbiotique au lieu de la rivalité et de l'individualisme.

Dans la même veine, Patrick Viveret est un des fondateurs du «convivialisme», mouvement* qui a repéré les convergences dont je parle ici et qui vise à fédérer les Tisserands. Nous sommes ici très proches de ce que j'ai appelé plus tôt l'«amitié sociale». Il témoigne lui aussi de l'ampleur du phénomène. Selon lui, «les initiatives qui vont dans le sens d'une alternative à l'organisation actuelle du monde sont innombrables, portées par des dizaines de milliers d'organisations ou d'associations, et par des dizaines ou des centaines de millions de personnes. Elles se présentent sous des noms, sous des formes ou à des échelles infiniment variées : la défense des droits de l'homme, du citoyen, du travailleur, du chômeur, de la femme ou des enfants ; l'économie sociale et solidaire avec toutes ses composantes : les coopératives de production ou de consommation, le mutualisme, le commerce équitable, les monnaies parallèles ou complémentaires, les systèmes d'échange local, les multiples associations d'entraide ; l'économie de la contribution numérique (cf. Linux, Wikipedia, etc.) ;

* *Manifeste convivialiste. Déclaration d'interdépendance*, Le Bord de l'eau, 2013, <http://www.lesconvivialistes.org/abrege-du-mani-feste-convivialiste>.

la Nature, sans dénier la légitimité du conflit mais en en faisant un facteur de dynamisme et de créativité. »

Ce que tente ici Patrick Viveret est déterminant : il essaie d'identifier le dénominateur commun de tous les Tisserands. Cet effort est capital. En effet, c'est grâce à l'unification de leurs horizons que les Tisserands vont pouvoir mettre toutes leurs forces en synergie. C'est seulement au moment où ils comprendront qu'ils vont au même endroit, qu'ils visent le même idéal, qu'ils s'associeront naturellement et systématiquement et qu'ils atteindront alors – par leur nombre – le poids social, culturel et politique nécessaire au grand renouvellement du monde. Le paradigme (principe fondamental) de symbiose est l'un des plus synthétiques de toutes les démarches des Tisserands. C'est peut-être le meilleur dont nous disposions à l'heure actuelle. Issu de la biologie des écosystèmes, ce concept exprime parfaitement en effet l'idée d'une relation d'échange équitable (*fair*) entre deux organismes : on parlera d'une relation symbiotique – spectaculaire – à propos du crocodile et de l'oiseau qui lui nettoie les dents, ou – moins spectaculaire – à propos des centaines d'espèces de bactéries qui prolifèrent dans notre intestin et qui facilitent notre digestion, régulent notre système immunitaire, etc. Ce paradigme de la symbiose va même plus loin en réalité que l'idée de justice ou de partage, car deux êtres qui prennent soin l'un de l'autre, qu'ils soient conscients comme l'être humain ou l'animal, ou inconscients comme une bactérie, sont engagés dans ce qu'il faut bien appeler une relation d'amour – notion qu'on se réserve habituellement, en l'étendant du bout des lèvres aux mammifères supérieurs, mais qui, à travers la mise en évidence de la symbiose dans la nature entière, se révèle être une loi majeure du vivant, et probablement le plus puissant de tous les liens, celui qui rend tout le reste possible. Giordano Bruno écrivait à la Renaissance : « L'amour seul, c'est-à-dire un seul lien, fait de toutes choses une seule, mais il prend différents visages pour des choses différentes, de sorte que, restant le même, il lie diversement des choses diverses[*] ». Il y a là une remarquable coïncidence entre cette notion sans âge et le concept scientifique moderne de symbiose. Les deux se rejoignent aujourd'hui, par-delà les siècles et les séparations, comme pour nous avertir que le temps qui vient sera bien celui de toutes les réconciliations.

---

[*] Cité dans Bruno Pinchard, « Au péril des liens », in *L'Art du comprendre*, vol. 11-12 : « Giordano Bruno et la puissance de l'infini », avril 2003.

Les trois symbioses

Insistons un peu plus là-dessus. Chaque élément du Triple Lien vise une telle relation symbiotique amoureuse. Une relation donnant-donnant, gagnant-gagnant, inspirant-inspirant, fondée sur un amour synonyme de «souci de l'autre», de «prendre soin» (*take care*):

1. Lien symbiotique à la nature: conscients que la nature prend soin de notre vie en lui offrant son éco-système nécessaire, nous prélevons de la nature ce dont nous avons besoin tout en prenant soin d'elle à notre tour, en la respectant, en la protégeant et en pré-servant la biodiversité.

2. Lien symbiotique à autrui: conscients de notre dette et de notre dépendance à autrui depuis notre naissance (néoténie), la société ayant pris soin de nous faire acquérir tout ce qui nous fait humain (langage, sensibilité, culture, etc.), à notre tour nous donnons comme nous avons reçu, en nous souciant d'autrui autant que de nous-mêmes dans chaque relation contractée.

3. Lien symbiotique à soi: le petit moi et le moi profond eux aussi prennent soin l'un de l'autre; le petit moi veille à ce que le Soi puisse s'incarner dans une existence assez sage pour qu'il s'y exprime, le Soi

inspire au petit moi les voies concrètes de cette vie intérieure.

Ce modèle symbiotique est très justement considéré par l'association Interactions TP-TS comme universel, c'est-à-dire comme étant une exigence fondamentale de toute forme de vie : « Nous avons beau savoir que le tout est plus que la somme des parties, qu'il s'agisse d'une société, d'une famille, d'une équipe, d'un corps humain, d'un cerveau, nous avons du mal à réaliser que ce qui fait la vie, la valeur de l'ensemble, ce sont les liens, les interactions transformatrices entre leurs différents éléments. (*Plus les échanges sont denses, riches, plus l'ensemble est capable d'évoluer**). Quand les échanges sont pauvres et se raréfient, tout système court à sa perte. Vivre, c'est créer et entretenir des relations. » **

Cette visée de la symbiose amoureuse fera sourire. Il y a toujours eu, à chaque époque, des cyniques goguenards, des sceptiques professionnels, des incapables d'anticipation, qui ne voient rien venir, des fatigués de l'imagination, qui n'arrivent pas à concevoir que demain l'imaginé devienne le réel. Pourtant, c'est la caractéristique même de l'aventure humaine que d'élargir sans arrêt le champ du réel par sa créativité

* Je souligne.
** http://www.interactions-tpts.net/IMG/pdf/Presentation_Inter action_TP-TS_fin_2010.pdf

infatigable, pour accueillir dans ce réel ce qui hier relevait encore de l'impensable. À ces professeurs d'impossible, que dire donc sinon d'être attentifs à ce qui déjà, mais encore en catimini, prend une ampleur de plus en plus prodigieuse : la multiplication de tous ceux qui disent non, tout simplement non : « Je ne veux pas entrer dans ce monde gouverné par l'argent, par le souci égoïste de ma réussite matérielle, dans ce schéma individualiste, guerrier, vide de sens et de valeur, du chacun pour soi. »

La montée de cette protestation sourde est frappante du côté des nouvelles générations : vivre pour gagner sa vie, pour construire son petit confort « perso », sans se soucier ni de son moi profond, ni des autres, les « jeunes d'aujourd'hui » n'en veulent plus. La jeunesse qui vient est naturellement tisserande. Certes, une partie d'entre elle demeure captive de la fascination de l'argent, des valeurs matérialistes, des modèles de réussite sociale, des « grands refrains » politiques (bref, tout le cadre de la vie sociale de leurs aînés). Mais la majorité de cette jeunesse est en rupture radicale avec le monde dans lequel elle a grandi : elle veut être inspirée par quelque chose de bien plus grand, de bien plus vaste – du *sens*, elle veut du *partage*, elle veut du *collectif* à la place de l'individualisme régnant. Elle ne ressent donc que désintérêt, voire dégoût et mépris pour un système qui, dès le plus jeune âge à l'école et tout au long de la vie, conditionne à cet individualisme. Premièrement, chaque petit élève apprend trop souvent à travailler uniquement pour sa propre réussite, presque jamais en équipe, le plus souvent tout seul devant sa feuille de contrôle… autrement dit jamais donc dans la coopération, toujours dans la comparaison et la rivalité. Deuxièmement, toute l'existence sociale se passe à conquérir laborieusement sa petite place au soleil, ce qu'on a nommé mille fois le règne de l'avoir et du paraître, au détriment de l'être : avoir *sa* voiture, *son* bout de jardin, *sa* maison, *son* bouquet numérique, *ses* joujoux à la point de la technique, etc. Ce n'est pas l'être humain par nature qui est égoïste, mais notre civilisation qui le conditionne à vivre replié sur son confort et ses petits plaisirs privés, tel un bernard-l'hermite réfugié dans une étroite coquille !

Toi jeunesse !

Face à cette médiocrité érigée en système, notre jeunesse en quête d'inspiration a tout pour devenir une grande génération d'engagement. En a-t-elle assez conscience ? Je veux le lui dire ici ! Je veux lui dire que la vie reliée à tous les grands horizons – de sens, de partage, de nature – n'attend que son formidable appétit de sociabilité surdéveloppé par les réseaux sociaux ;

son besoin puissant d'engagements collectifs, exprimé aussi bien dans la foule des Journées mondiales pour la jeunesse que lors des Printemps arabes et des divers mouvements d'Indignés ; et c'est encore la même soif d'être ensemble qui est investie dans l'appartenance à telle ou telle tribu sociale (même si, on l'a vu, chacune de ces tribu a tendance à se replier sur elle-même).

Toi jeunesse d'aujourd'hui! Toi jeunesse qui aimes tant te rassembler, tu as tout pour devenir la génération de recréation de tous les liens!

Elle a tout pour elle, cette jeunesse, à condition de ne pas s'enfermer dans un sentiment d'insatisfaction et de rejet, de ne pas se laisser aller au sentiment – qui la guette aussi souvent – qu'elle arrive dans un monde où il n'y aurait rien à entreprendre ni à espérer sur le plan collectif. Le pire pour elle serait de s'affaisser dans la posture de victime – un de ces rôles sociaux maudits auxquels l'empire du faux dieu Profit condamne tant de gens. Elle doit refuser ce diktat! Elle doit prendre conscience qu'au contraire on peut vivre autrement qu'en subissant le système, autrement qu'en s'en accommodant simplement ou qu'en le tournant à son... profit. Elle doit prendre conscience qu'elle peut dire non, agir, se révolter. Elle doit répandre le mot d'ordre – sur tous les réseaux sociaux du monde, dans toutes ses fraternités réelles et virtuelles – qu'elle a quelque chose de décisif à apporter à nos sociétés, que en autant de liens nourriciers chacun des éléments, des composantes et des structures de la civilisation humaine. Métiers, engagements, arts, sciences, techniques, institutions, éducations, pratiques sociales, divertissements, la question sera chaque fois la même : comment les repenser et les réorganiser en liens qui libèrent l'expression de notre moi profond ? Il faudra des trésors d'ingéniosité, d'inventivité et de volonté. En imaginant cette grande opération de conversion de la civilisation en art du lien, je pense à deux images : il s'agira pour les Tisserands d'apprendre à faire feu de tout bois, à devenir omnivores, c'est-à-dire à transformer toutes choses en aliment de la vie bien reliée. Les Tisserands seront ainsi de grands agents de mutation, métaboliseurs, traducteurs du monde humain dans le langage des liens. Pour réussir ils auront besoin d'instaurer un dialogue permanent entre tous les domaines de l'action, de la pensée, de la culture humaine, de manière que la conversion des uns en « champ de vie reliée » inspire ceux qui se cherchent ailleurs, et que se produise tôt ou tard l'effet domino de la conversion généralisée du monde humain en Terre de la vie reliée... Quel énorme défi pour la révolution tisserande ! La jeunesse qui portera cette révolution conçoit-elle bien son ampleur et sa difficulté, ressent-elle l'excitation de pouvoir actionner un levier qui soulève le monde ? Est-elle prête à relever ce défi ?

La fin des pyramides religieuses

Nos sociétés conditionnent à l'individualisme et à l'égoïsme parce qu'elles sont bâties comme des pyramides. Chacun se bat contre les autres pour aller vivre le plus haut possible sur la pyramide sociale. Comme sa base est très large et son sommet très réduit, il y a beaucoup d'appelés et très peu d'élus. Plus on monte, moins il y a de places et plus elles sont chères. Tout en haut ne restent que quelques maîtres du monde! Ce modèle pyramidal – vertical/inégal – est d'essence religieuse. Toute religion en effet est fondée sur ce schéma de relation inégalitaire entre un ou quelques dieux installés dans les cieux et une multitude humaine qui rampe, obéissante et soumise, à la surface de la terre. Même si la religion porte en son cœur une autre composante que la soumission – en l'occurrence des voies d'exploration de l'intériorité –, elle n'a jamais produit que des hiérarchies, des lois, des commandements, des préceptes, des dogmes, des morales qui ordonnent d'obéir. Nous ne sortirons donc réellement des époques religieuses qu'au moment où nos sociétés ne seront plus structurées selon ce modèle, ce qui est encore très loin d'être le cas; il continue de perdurer et d'assurer la domination de quelques-uns sur la foule de tous les autres. La religion n'est pas seulement dans la religion – loin de là, elle est partout ailleurs, même si elle semble absente! Le monde du travail, avec ses grands et petits chefs dirigeant leurs masses d'employés, est religieux; la démocratie des «élus» est religieuse, les écoles et les universités, où enseignent les détenteurs du savoir, sont religieuses. Laquelle de nos institutions sociales ne fait pas partie de la forêt immense des pyramides religieuses? Partout des tours vertigineuses, partout des gratte-ciel, partout une hiérarchie ouverte ou discrète qui élève au-dessus de tous les autres la petite élite de ceux qui détiennent jalousement le capital, le pouvoir ou le savoir – ce que Michel Foucault appelait autrefois *L'ordre du discours*[*]. Le vocabulaire change, les costumes et les symboles aussi, mais la structure reste la même. Nous ne sortirons donc pas des ères religieuses avec des institutions qui n'en modifient que l'apparence tout en perpétuant leur fond.

Mais la forêt des Pyramides est-elle toujours en aussi bon état? Comment se portent les arbres du pouvoir? Sont-ils en bonne santé? Les gens de pouvoir, au sommet, l'espèrent et s'illusionnent à ce sujet. Michel Serres[**] a bien montré que ce modèle hégémonique et tyrannique de la pyramide a survécu depuis des millénaires comme modèle d'organisation par excellence

[*] Gallimard, 1971
[**] Michel Serres, *La Petite Poucette*, Éditions Le Pommier, 2012.

de toutes les cultures humaines: «Des pyramides d'Égypte» jusqu'à la «tour Eiffel», «les premières en pierres, la dernière en fer, la forme globale reste stable; stable en l'état, stable comme l'État, ces mots n'en faisant qu'un. L'équilibre de statique rejoint le modèle du pouvoir, invariant à travers dix variations apparentes, religieuses, militaires, économiques, financières, expertes... puissance toujours détenue par quelques-uns, en haut, étroitement unis par l'argent, la force armée ou autres appareils à dominer une base large et basse.» Mais quelque chose est en train de se produire qui, pour la première fois de mémoire d'homme, fait vaciller ces pyramides jusque-là indestructibles. Que leur arrive-t-il en effet? Une nouvelle sorte d'êtres humains est née, qui non seulement n'acceptent plus la soumission mais sont capables de penser le monde autrement. Je parle de nos Tisserands. Quand je les regarde, il me semble les voir sortir des pyramides... Parmi eux il y a la Petite Poucette de Michel Serres, bien sûr.

Que fait-elle? Que font tous ceux qu'elle incarne? Michel Serres en donne un exemple majeur, de façon limpide et simple. Jusqu'à hier, dans les Pyramides, le savoir, la culture, l'information, étaient conservés et détenus par des institutions savantes (universités, écoles, librairies, bibliothèques, médias). Mais à présent, internet offre à tous un libre accès – immédiat et gratuit – à des sommes indéfinies de ces connaissances. Aujourd'hui, grâce à des cours en ligne, des ouvrages en téléchargement libre, des tutoriels gratuits, des forums de discussion sur tous les sujets, n'importe quel autodidacte doué peut en savoir autant qu'un professionnel ou qu'un professeur dans à peu près tous les domaines. Dès lors, écrit Michel Serres, «si elle a consulté au préalable un bon site, Petite Poucette, nom de code pour l'étudiante, le patient, l'ouvrier, l'employée, l'administré, le voyageur, l'électrice, le senior ou l'ado, que dis-je, l'enfant, le consommateur, bref, l'anonyme de la place publique, celui qu'on nommait citoyenne ou citoyen, peut en savoir autant ou plus, sur le sujet traité, la décision à prendre, l'information annoncée, le soin de soi... qu'un maître, un directeur, un journaliste, un responsable, un grand patron, un élu, un président même».

Méditons sur la Petite Poucette

Voilà comment les Tisserands s'émancipent du pouvoir des chefs des Pyramides. Ils ne le font pas de façon violente. Ils ne cherchent pas à détruire tous ces anciens temples du savoir et de la puissance. Ils n'assassinent pas leurs grands prêtres. Mais, tranquillement, patiemment, ils vident les pyramides de leur contenu. Ils ouvrent leurs coffres, y prennent ce dont ils ont besoin, et ils s'en servent librement. Ils font un autre usage des savoirs et des pouvoirs : ils diffusent l'information gratuitement, ils répartissent la responsabilité entre tous et prennent les décisions ensemble. Il n'y a plus un seul centre qui décide et une périphérie qui obéit. Méditons encore sur la Petite Poucette. Comme elle, chacun devient centre, chacun devient source, chacun trouve ses propres ressources de connaissance et d'action grâce à la collaboration *offerte* de tous les autres. La liberté de Petite Poucette acquise grâce à internet se retrouve aussi du côté de la vie professionnelle, avec la mutation de ce qu'on appelle l'«entreprise libérée», dans laquelle le maximum de pouvoir d'initiative et de décision est déplacé vers chaque employé : «L'entreprise libérée vise à capitaliser sur les connaissances et les capacités de tous ses collaborateurs en donnant libre cours à leur esprit d'initiative et à leur créativité, ainsi qu'en facilitant les comportements proactifs. Pour cela, elle élimine tous les mécanismes de contrôle, affranchit les collaborateurs des contraintes et ne cherche jamais à leur imposer de réponses*». Pour que cela fonctionne, il faudra bien sûr que les individus développent leur sens de la

---

* Gilles Verrier, «Faut-il libérer l'entreprise?», *rhinfo.com*, 11 janvier 2016; Gilles Verrier et Nicolas Bourgeois, *Faut-il libérer l'entreprise? Confiance, responsabilité et autonomie au travail*, Dunod, 2016.

million de révolutions tranquilles dont parle Bénédicte
Manier… la vague de l'*empowerment*, de la prise
de responsabilité, de la démocratie participative,
de l'action citoyenne, de l'autonomisation de tous.
Cela ne veut pas dire, pourtant, que les choses vont
être faciles. J'ai déjà beaucoup insisté sur ce point :
il va falloir que les Tisserands luttent de toutes leurs
forces *unies,* qu'ils se connectent, se rassemblent au
maximum pour acquérir la masse critique nécessaire
au basculement du cours de l'histoire. Nous avons
besoin d'une internationale tisserande. Tisserands de
tous les pays, unissez-vous ! Dès maintenant, chaque
Tisserand est appelé à « agir local et penser global ». À
se doter d'une vision du sens collectif de l'effort particulier qu'il entreprend à son échelle. À entrer dans la
logique d'une responsabilité collective, métapolitique,
c'est-à-dire à la fois sociale, culturelle, civilisation-
nelle. Le succès de l'action tisserande est au bout de
ce renoncement à l'individualisme de l'action – et de
ce renoncement d'abord au comble d'une spiritualité
individualiste, dont l'ambition se limiterait à vouloir
seulement s'aménager sa petite « niche spirituelle personnelle » dans un monde hostile. Il s'agit donc pour
les Tisserands de renoncer à l'individualisme sans
renoncer à leur individualité… Et de réussir ainsi ce
pari d'une fraternité tisserande qui laisse chacun libre
de penser par lui-même et d'être lui-même !

Trois révolutions économiques

Dans le domaine économique, le plus décisif, plusieurs révolutions simultanées sont en marche. Leur dénominateur commun? Elles sont menées par des Tisserands soucieux de substituer la qualité du lien d'égalité et de partage aux vieilles dominations et soumissions. Voici trois expressions majeures de ces nouveaux liens en passe de révolutionner l'organisation de l'économie :

1. Sur le plan du travail, l'individu type de ce qu'on appelle la génération Y – cette jeunesse dont il était question plus haut – ne veut plus être l'employé lambda d'une entreprise qui utilise sa force de travail. Il ambitionne de définir par lui-même son mode d'engagement social à partir de ses propres valeurs. Il veut «créer son job», être son propre patron, monter avec d'autres une entreprise à direction collégiale ou s'engager dans une association à haute valeur sociale ajoutée. Pourquoi? L'objectif central est la qualité du lien trouvé dans la vie sociale et professionnelle : cet individu Y veut que son travail le relie aux autres grâce à une activité qu'il a personnellement choisie, qui lui correspond pleinement, qui a du sens, qui lui permet de participer au mieux-être collectif et qui lui permet de vivre avec ses collaborateurs une relation d'égalité, de prise de risque et de responsabilité collective.

2. Sur le plan de la consommation, l'individu contemporain est aussi un Tisserand – qui souvent s'ignore comme tel. Pourquoi? Parce que là encore, par ses choix de consommation, il vise le lien du sens et de la valeur. Il ne veut plus être un consommateur compulsif et passif, sommé par la publicité d'acheter n'importe quoi. Il veut devenir un «consom'acteur», qui décide librement de ses achats en fonction de convictions personnelles fortes, notamment l'équité de l'échange (on n'achètera que des produits labellisés dont on a l'assurance qu'ils n'ont pas été fabriqués par des travailleurs exploités) et le souci écologique (on n'achètera que des produits bios, non polluants). C'est l'aspiration, sur ce plan aussi, à une vie reliée, qui accorde consommation et éthique, consommation et solidarité avec tous ceux qui produisent ou travaillent dans le respect des mêmes valeurs que nous.

3. Sur le plan énergétique, les Tisserands sont aussi à l'œuvre – et là, il apparaît déjà que l'avenir est de leur côté. Ce sont les travaux de Jérémy Rifkin* qui nous le font comprendre. Nous sommes à l'aube de la troisième révolution numérique, qu'il a modélisée: au lieu de la dépendance à des fournisseurs d'énergie (multinationales du pétrole, du gaz, de l'électricité, etc.) qui

---

* Jérémy Rifkin, *La Troisième Révolution industrielle*, Les Liens qui libèrent, 2012.

Le défi pour l'«homme augmenté»

Une nouvelle société est en voie d'émergence, dans laquelle chaque être humain est :
– capable d'accéder seul au savoir, à la culture, à l'information ;
– créateur de son emploi et, plus largement, de ses engagements sociaux ;
– décideur de ce qu'il consomme en fonction de ses valeurs ;
– habitant d'une maison et résident de bâtiments qui produisent leur propre énergie.
Il est aisé de voir le dénominateur commun de tout cela : la civilisation qui arrive non seulement fait s'écrouler les systèmes de domination et de dépendance mais elle dote chaque être humain d'une initiative et d'une liberté créatrice, d'une indépendance personnelle absolument inédite. Ce qui va exploser dans les décennies à venir, c'est notre puissance personnelle d'agir. Ce n'est pas une prédiction mais une prévision. Nous assistons en effet à la mise en place d'une fantastique concordance entre plusieurs phénomènes déterminants. Tout ce que je viens d'évoquer participe en effet de la promesse globale de ce qu'on appelle l'«homme augmenté» – dont la réalisation serait pour l'horizon 2050. En plus de toutes les nouvelles possibilités et capacités qui viennent d'être

évoquées, l'individu augmenté bénéficiera d'un cerveau connecté à la machine, de prothèses corporelles intégrées, d'organes et tissus indéfiniment renouvelés par la médecine régénérative – il est envisageable que notre corps lui-même ne soit plus demain le siège de notre conscience mais que nous ayons la possibilité de nous «décorporer» pour entrer dans une existence qui se déplacerait à volonté de support physique en support virtuel. Il est temps de comprendre que cela ne relève plus de la science-fiction mais du futur proche et de prendre la mesure de ce qui se passe, qui n'est ni plus ni moins qu'une mutation de notre espèce. La *condition* humaine, ou ce que l'on considérait jusqu'ici comme telle, pourrait être complètement *déconditionnée*, c'est-à-dire débarrassée de la plupart de ses limites ancestrales* – en particulier de toutes les limites d'une vie localisée dans un corps – dont le cerveau, les membres, les organes, les perceptions délimitent étroitement notre champ de vision, de connaissance et d'action.

En rupture brutale avec cela, les perspectives ouvertes en ce sens par les sciences et les techniques sont celles d'une liaison homme-machine qui va nous métamorphoser en accroissant indéfiniment ce

* J'ai longuement développé ces pistes dans *Comment sortir de la religion*, La Découverte, 2012.

champ de perception et d'action. Mais un tel «saut évolutif» inquiète autant qu'il fascine. Comment ne pas s'en épouvanter, en effet, alors que nous n'avons rien du tout – aucun discours ni aucune sagesse – qui nous permettrait de donner à tout cela un véritable sens, sachant que pour l'homme, ce qui a du sens, c'est ce qui le fait grandir en humanité, devenir plus humain. Or pour l'heure nous restons incapables de *relier* l'«homme augmenté» et le «devenir plus humain». Au contraire, nous avons même le funeste pressentiment qu'en nous «augmentant» nous allons nous diminuer, nous robotiser, nous «machiniser», faire de nous-mêmes des «super programmes» et du même coup nous déshumaniser!

Encore une crise du lien, en l'occurrence l'impuissance à relier notre processus de mutation en cours avec une vision de l'homme, un humanisme et un projet d'humanisation à la hauteur à cette mutation. Nous sommes tellement sidérés par ce que ces progrès nous laissent imaginer – qui est littéralement fantastique – que cela paralyse notre réflexion sur nous-mêmes (ce que Bernard Stiegler appelle un état de «disruption», c'est-à-dire de stupéfaction tétanisée [*]). En quel sens allons-nous rester humains? Quelle orientation

---

[*] Bernard Stiegler, *Perdus dans la disruption*, Les Liens qui libèrent, 2016.

allons-nous donner à cette évolution pour qu'elle nous humanise au lieu de faire le lit du «transhumanisme» et de tous ses adeptes, qui se réjouissent déjà – les inconscients – de «la fin de l'homme» et de son remplacement par l'espèce «suivante» dans le processus de l'évolution? *Quelle dignité humaniste, quelle valeur éthique et quelle vocation existentielle allons-nous donner à ces nouvelles possibilités?* Elles nous offrent notamment une liberté prodigieuse, en démultipliant de façon incalculable notre puissance d'agir. Bernanos disait déjà il y a plusieurs décennies: «La liberté, pour quoi faire?» On pourrait ajouter désormais: «La puissance d'agir de l'homme augmenté, décuplée, dans l'espace et dans le temps, pour quoi faire?»

La menace nouvelle d'un superégoïsme

La menace de l'égoïsme, de l'individualisme, de l'égocentrisme, risque en particulier de devenir incomparablement plus forte que jamais: si je cède au fantasme de devenir une sorte de «superhomme», quel besoin me reste-t-il des autres? Comment donc faire en sorte pour que cette civilisation à venir de l'«homme augmenté» ne soit pas en même temps celle d'un *superégoïsme*? Nous risquons très vite de nous retrouver confrontés à ce défi. Nous verrons s'élever inquiet à l'idée qu'un tel être, doté de superpouvoirs, soit resté sur le plan moral aussi égoïste que son ancêtre. Car il sera doté d'une telle puissance d'agir, de tels superpouvoirs que son égoïsme aura des effets incomparablement plus dévastateurs que celui de la «créature limitée» que nous étions jusqu'à présent! Nous sommes menacés maintenant de devenir des sortes de jeunes dieux fous, intenables et inconscients, ivres de leur surpuissance et sans aucune sagesse à leur mesure – à leur démesure. Plus que jamais, par conséquent, nous sommes tenus par la responsabilité de devenir tous des Tisserands du lien intérieur: face à la survenue imminente de «l'homme augmenté», il va falloir se libérer immédiatement de l'inquiétude, de la fascination, de la stupéfaction tétanisée, pour travailler sur nous-mêmes à la hauteur du défi – c'est-à-dire pour reprendre le travail ancestral de toutes nos sagesses d'Orient et d'Occident qui éduquaient l'être humain à grandir en humanité, notamment en creusant en soi au-delà de l'ego ordinaire, de son individualisme et de sa volonté de puissance. Face à cette volonté de puissance qui nous menace avec une gravité sans précédent et dans des proportions inédites, il s'agit donc de *repenser l'éducation et toutes les institutions humaines dans le sens de la culture du lien intérieur*. Sans cela, la mutation de notre condition nous détruira en faisant s'affronter des êtres humains

– ou plutôt des Êtres aussi surhumains qu'inhumains – qui mettront leurs facultés supérieures au service de l'égoïsme, et de son cortège de violences.

La lutte contre l'égoïsme est donc sur le point de prendre une nouvelle urgence et une nouvelle gravité. Pour la mener, il s'agit d'abord de se souvenir que le terme « égoïsme » a deux sens, mais que nous ne pensons jamais au second. Le premier (bien identifié) correspond à l'attitude de celui qui ne cherche que son intérêt propre, dans l'indifférence à celui d'autrui et sans hésiter, au besoin, à agir à son détriment pour se satisfaire lui-même. Mais l'égoïsme désigne également une autre notion, qui n'est généralement pas perçue : l'ignorance de celui qui ne perçoit de lui-même que son ego ordinaire. Cette absence totale de conscience de son moi profond est l'*égoïsme majeur*. L'autre n'est que l'égoïsme mineur, parce qu'il est une conséquence inévitable de cette ignorance de soi comme Soi. Nous restons égoïstes, en effet, aussi longtemps que notre vision de nous-mêmes se limite à celle d'un ego ordinaire en lutte avec d'autres ego ordinaires. Cet égoïsme se double d'ailleurs d'une ingratitude : en ignorant que nous devons l'être et la vie au souffle « venu d'ailleurs » qui nous traverse au cœur, nous ne lui faisons pas justice et ne lui donnons pas la reconnaissance qu'il mérite. La solution pour dépasser cet égoïsme majeur ou fondamental est donc très simple à comprendre, bien que plus difficile à réaliser : il s'agit de trouver tous les moyens de s'ouvrir à une vision élargie de nous-mêmes, de se détacher du petit moi le plus au-delà possible de son existence et de ses intérêts – jusqu'à ce point où la séparation avec les autres êtres se révèle parfaitement illusoire.

Ce projet de s'éveiller à une vie plus vaste que celle de notre « petit moi » a un nom et une méthode : c'est la vie reliée. J'en ai déjà beaucoup parlé, mais je voudrais ici encore approfondir un peu ce thème dans une direction nouvelle : nos trois liens nourriciers – à notre Soi, à autrui, à la nature et à l'univers – sont *indispensables* et *souverains* pour nous libérer des deux égoïsmes, le mineur et le majeur. Chacun contribue à nous délivrer un peu plus de l'égoïsme ordinaire (attachement exclusif aux intérêts du petit moi) et de l'égoïsme fondamental (identification exclusive à l'existence du petit moi). Grâce au Triple Lien, la « réduction au moi » est remplacée par un double élargissement : un prolongement indéfini de nous-mêmes, vers l'intérieur en direction des régions auparavant inexplorées de notre âme, et une ouverture aux autres comme au monde, vers l'extérieur par l'extension de la capacité de fraternité au-delà des liens sanguins ou affectifs primaires et par le sentiment océanique d'appartenir à un Grand Tout qui nous englobe. Chacun des trois liens nous offre la participation à quelque chose de bien plus grand que notre petit ego, et par leur canal nous nous sentons reliés bientôt au «grand souffle de la Vie universelle*». L'égoïsme recule seulement à la condition de faire cette expérience, et davantage encore au fur et à mesure qu'elle s'installe et se stabilise en nous. Alors l'existence et les intérêts de notre petit moi apparaissent de plus en plus dérisoires.

Le lien au Soi

Le lien au Soi nous fait faire l'expérience d'un infini en nous-mêmes. Cela nous immunise contre l'égoïsme, en nous faisant voir à quel point il est *inutile*: c'est une erreur de nous enfermer dans le souci des intérêts du petit moi parce qu'il n'est pas notre Être essentiel, seulement son enveloppe éphémère. Le petit moi passe, l'Être essentiel reste – il va s'incarner ailleurs, dans une autre existence, un autre univers. Une parole soufie m'a appris que «quand l'homme meurt, il se réveille». La mort peut être entendue ici au sens symbolique: «mourir», y compris durant cette vie, peut signifier «mourir à une fausse image de soi» pour «renaître» en reprenant conscience de sa véritable identité. S'attacher à ce petit moi, c'est donc

*Vladimir Jankélévitch, *Premières et Dernières Pages*, Seuil, 1994.

d'une certaine façon « rester mort » – la mort de l'ignorance ou de l'inconscience de notre être véritable...
Le petit moi est le vêtement du Soi dans ce monde.
On peut essayer de s'en dépouiller dès maintenant,
et il nous quittera tôt ou tard. Si donc il convient
d'en prendre soin, ce n'est qu'une parure provisoire.
Lorsque je cesse de m'identifier au vêtement du petit
moi, « ma vie cesse de m'être particulière » (Teilhard de
Chardin) et je me retrouve appartenant à l'univers, à
son immensité et au chaos primordial dont il est issu...
Dès lors que ma conscience s'est ouverte à ce lien à
l'univers et, plus « loin » encore, au hors-monde auquel
il est peut-être lui-même relié, alors l'égoïsme n'a
strictement plus aucun sens. Je le regarde comme une
chose morte – comme je regarde aussi, étonné, le vêtement du petit moi tombé par terre... C'est en ce sens-
là que l'expérience de soi comme Soi ou « Ego ultime »
(*The Ultimate Ego* chez Mohammed Iqbal) détruit la
racine même de l'égoïsme en s'attaquant à son préjugé
fondateur : « Je *ne* suis *que* ce petit moi. »

L'égoïsme est un défaut de connaissance de soi.
La difficulté est que nous manquons presque totalement aujourd'hui de la culture capable de nous y
éduquer en nous faisant approcher de l'expérience
de l'Ego ultime. Faute d'une telle plongée intérieure
vers nos abysses, d'un tel saut dans l'inconnu qui nous
habite, le moi profond reste un objet de croyance ou

d'amour, d'empathie, sans la conscience d'une solidarité universelle de tous les êtres de l'univers développée par le Triple Lien, notre capacité morale reste trop faible : on fait son « devoir » sans être capable d'y mettre du cœur et de l'esprit. Notre capacité de fraternisation ferait en revanche un véritable bond en avant si notre société commençait – enfin – d'éduquer chacun à la nourriture des liens. Eux seuls nous déconditionnent de l'égoïsme en nous ouvrant au-delà de notre ego.

Pourquoi tant de nos relations humaines dans l'espace social sont-elles aussi standardisées, froides, distantes et frustrantes ? Pourquoi tant d'échanges, y compris parfois sur le plan privé, nous donnent-ils le sentiment amer d'être aussi superficiels ? D'où vient ce sentiment si fréquemment éprouvé d'échouer à partager quelque chose au-delà des « affaires courantes » et de ne pas réussir à parler cœur à cœur ? Les conditions de la vie moderne n'expliquent pas tout. Certes, nous vivons dans des grandes cités où chacun reste inconnu, engoncé dans le costume de son « rôle social », et où nos vies trépidantes ne nous donnent pas assez le temps de nous arrêter vraiment, de manière à échanger plus que des banalités. Et après ? Il me semble qu'une cause est à chercher aussi du côté de la superficialité de notre propre rapport à nous-mêmes. La superficialité ou l'intensité du rapport à l'autre ne sont-elles pas dépendantes de la médiocrité ou de la qualité du rapport à soi? Dans nos sociétés où manque encore trop une vraie culture du lien intérieur (où l'on n'est pas encore assez Tisserand du lien à soi), nous sommes réduits à vivre à la surface de nous-mêmes, ce qui peut être la cause de cette grande difficulté déplorée à entrer en relation les uns avec les autres au-delà de nos petits ego. Et si nous n'arrivions pas à nous nourrir profondément les uns des autres parce que chacun laisse trop de côté les ressources de sa propre profondeur?

Ce serait un autre dégât de l'égoïsme fondamental. Nous ne mettons pas en jeu dans la relation extérieure quelque chose qui vient vraiment de soi – c'est-à-dire l'inspiration intérieure du Soi. Nos relations sont donc sapées par une sorte d'égoïsme ordinaire ou moyen parce que, n'allant pas au-delà du commerce des ego ordinaires, elles se heurtent à leurs limites. De là vient la difficulté trop souvent ressentie de réussir à nous apporter mutuellement ce dont nous avons besoin, y compris hélas dans nos relations les plus proches, amicales ou amoureuses. Si dès l'école, dès l'éducation familiale, et dans notre «souci de soi» ou «prise en charge de nous-mêmes» quotidien nous faisions davantage l'effort de nous mettre à l'écoute de nous-mêmes, alors nous n'aurions pas que nos surfaces à échanger. Nous aurions les paysages de notre intériorité à offrir, et donc notre vraie singularité; ainsi serions-nous moins ennuyeux pour nous-mêmes et pour autrui en proposant d'autres idées et d'autres façons d'être que les stéréotypes du moi social... La lumière puisée à l'intérieur de soi n'illumine pas seulement notre visage mais aussi celui d'autrui, et notre relation. «Notre peur la plus profonde est que nous soyons puissants au-delà de toute limite. C'est notre propre lumière et non notre obscurité qui nous effraie le plus [...] Vous restreindre, vivre petit, ne rend pas service au monde [...] Nous sommes tous appelés à briller, comme les enfants le font [...] Et au fur et à mesure que nous laissons briller notre propre lumière, nous donnons inconsciemment aux autres la permission de faire de même *.»

L'individu relié à la source de lumière et de vitalité du Soi dépasse définitivement l'égoïsme. Il sent se déverser en lui-même une telle force d'être, une telle puissance d'agir, qu'il a de moins en moins peur de manquer, jusqu'à ne plus avoir peur de rien, ni de personne. À partir de là, beaucoup de choses peuvent changer, même si rien n'est automatique... Mais au lieu d'avoir encore à entrer dans la lutte égoïste contre autrui, il puise de plus en plus en lui-même tout ce dont il a besoin. Il se met à trouver à l'intérieur ce qu'il cherchait auparavant à l'extérieur. Il puise davantage

* Marianne Williamson, *A return to love : Reflection on the Principles of a Course in Miracles*, Harper Collins, 1992.

en lui-même ce qu'il s'efforçait de prendre à l'autre. Il peut alors entrer dans un nouveau cercle, un cercle vertueux : n'ayant plus autant de raisons d'être égoïste, agressif, envieux, ou méchant, il modifie son comportement : il ne se pose plus en rival ou en prédateur d'autrui, il s'offre de plus en plus à lui comme ressource. Il sent désormais qu'il dispose d'une énergie qui remonte du dedans, et qui cherche à s'investir dans la relation à l'autre sous la forme d'une générosité nouvelle. C'est l'expérience de la fontaine jaillissante. Au profit de tous les êtres, humains, animaux, végétaux. Donner, aimer, créer n'épuise plus celui en qui jaillit la source d'eau vive du Soi... Au contraire, ce débordement lui permet de déverser un trop-plein ! De déverser hors de soi l'énergie prodigieuse qui ne cesse de jaillir en soi, et qui sans ce débordement risquerait de noyer l'intériorité !

Le lien d'altruisme

Il contribue lui aussi à nous faire dépasser l'égoisme. Il le fait en nous procurant l'occasion d'une expérience décisive : plus nous interagissons de façon symbiotique avec les autres, dans le partage et non plus la compétition, la lutte pour être le plus fort, plus nous nous rendons compte que *l'intérêt personnel et l'intérêt collectif vont de pair,* que la réalisation personnelle et la réalisation de tous forment un cycle d'alimentation mutuelle. C'était déjà la leçon des utilitaristes anglais comme John Stuart Mill au XIXe siècle : « L'éducation et l'opinion devraient user de leurs pouvoirs pour faire entendre à l'esprit de chaque individu l'association indissoluble entre son bonheur personnel et le bien de la société. »

Par malheur, le libéralisme a dévoyé cette intuition, pour en faire ce principe fallacieux selon lequel il suffirait que chacun ne recherche qu'égoïstement ce qui lui est le plus profitable pour que soit atteint « le bien de la société ». Or Mill voulait dire que seuls des échanges équitables, à bénéfices réciproques, produisent à la fois le bonheur personnel et le bien de la société. Plus encore, il s'agirait en fait d'éduquer dès le plus jeune âge à ce qu'on pourrait appeler « la loi du don ». Je déplore qu'elle soit toujours aussi ignorée de nos jours alors qu'elle s'énonce très facilement : *plus je donne, plus je reçois.* Mais cette proposition-là peut être facilement réfutée ou moquée pour son idéalisme naïf si on la comprend mal. Elle ne signifie pas que celui qui donne (de son temps, de sa personne) est toujours bien récompensé en retour par la vie ; ce n'est évidemment et malheureusement pas toujours le cas. Non, c'est de l'intérieur qu'on reçoit en donnant. Plus je donne quelque chose qui vient de loin à l'intérieur de moi, plus je reçois du dedans, non du dehors. Lorsque chacun cherche en lui-même ce qu'il a de plus personnel à donner, une fois qu'il l'aura trouvé, ce sera comme s'il avait mis la main sur un trésor inépuisable dont il peut offrir par poignées les perles et les pierres précieuses sans qu'elles lui fassent défaut… C'est alors comme le lait maternel qui monte au sein à mesure que la bouche du bébé le réclame – plus il tire sur le sein, plus le lait monte. Martin Buber écrit que «dans chaque être, il est un trésor qui ne se trouve en aucun autre. Mais ce qui est "trésor" en lui, il ne pourra la découvrir que s'il saisit véritablement son sentiment le plus profond, son désir principal, ce qui, en lui, émeut son être le plus intime*» – ce «trésor» *unique* que chacun possède est en nous l'expression singulière de l'Être essentiel, *la relation d'amour spéciale* entre le Soi et notre petit moi, la façon dont il a choisi de s'incarner en lui et seulement en lui. C'est le seul trésor que nous possédions, c'est-à-dire le seul bien que nous ayons à donner sans qu'il s'épuise. Tout le reste, tout ce qui vient seulement du petit moi (en particulier tout ce que l'on se force à donner par devoir), est en quantité limitée.

Cette loi du don vaut individuellement. Mais il est nécessaire aussi de l'énoncer de la façon la plus politique : c'est à la condition que la société rende chacun

* Martin Buber, *Le Chemin de l'homme, op. cit.*, p. 21.

capable de trouver son propre trésor intérieur, puis de le mettre au service de tous, que l'individu n'est plus utilisé seulement comme moyen de faire tourner la machine sociale. Amartya Sen considère comme le grand défi qui arrive pour notre civilisation humaine de douer chaque être d'une capacité de conduire sa vie à partir d'une véritable autonomie. A cette fin, il préconise l'octroi à chacun, partout dans le monde, sans privilèges ni discriminations, d'un ensemble de « capabilités » ou « libertés substantielles » [*] : d'abord le droit à mener une vie décente (à l'abri de la famine, de la malnutrition), et puis toute une série de droits politiques (liberté de conviction et d'expression, possibilité de se déplacer sans entraves, citoyenneté active), de droits sociaux (éducation, assurance maladie, allocation-chômage, pension de retraite), de droits économiques (garantie contre l'esclavage, le travail contraint ou exploité). Telles sont les conditions objectives, c'est-à-dire politiques, grâce auxquelles l'individu peut vraiment choisir sa vie et donc extérioriser son moi profond. Il ne suffit pas en effet de chercher celui-ci par soi-même. Il faut en plus pouvoir compter sur une certaine société et sur un certain État qui font justice à ce qu'on trouve en soi, en lui donnant les garanties extérieures de pouvoir s'exprimer. Or seul l'ensemble

[*] Amartya Sen, *Un nouveau modèle économique. Développement, justice, liberté*, Odile Jacob, 2000.

de ces capabilités donne véritablement à l'individu les possibilités intellectuelle, culturelle et économique de prendre sa vie en main, de choisir les engagements sociaux et professionnels qui lui correspondent, et d'échapper aux dictatures et aux pouvoirs politiques, économiques ou religieux asservissants. En ce sens-là, la théorie des capabilités représente un véritable progrès de philosophie et d'action politique parce qu'elle permet de dépasser la conception libérale de l'autonomie, qui a prévalu au XXe siècle. Celle-ci se contentait de dire que les États doivent laisser les individus libres d'agir et d'entreprendre, sans se soucier que tous aient réellement les moyens de le faire; donc pour un certain nombre, cette liberté de principe restait abstraite. Il s'agit donc maintenant d'aller plus loin dans la conception du droit à la liberté, en transformant «vous avez le droit de» en «vous avez la capacité de».

Si cette condition est remplie, les deux sont gagnants: la société et l'individu. La société est gagnante parce que chacun y donne le meilleur de lui-même; l'individu est gagnant parce qu'en donnant le meilleur de soi il reçoit du même coup la possibilité sociale de son propre accomplissement. Son investissement pour les autres lui donne la possibilité d'exister par lui-même, de s'exprimer en profondeur tout en apportant sa contribution au bonheur collectif. Il y a là le critère d'une société juste, ou d'une humanité civilisée: l'alliance entre le la vie de l'âme? Quelle autre solution si l'on ne veut pas que l'individu se retrouve asservi à des intérêts qui le dominent et le réduisent à un rouage dans la grande machine sociale? Si Karl Marx avait eu une culture spirituelle, il aurait compris que toute société humaine – pas seulement la société capitaliste – va forcément exploiter ses membres (comme force de travail, comme chair à canon, comme troupeau gardé par des chefs religieux) si elle ne l'aide pas à se réaliser selon son intériorité. Celle-ci en effet est tout ce qui peut nous donner la force de résister aux oppressions quelles qu'elles soient. L'unique moyen de ne pas être écrasé par des dominations extérieures est la force cultivée à l'intérieur. Et par surcroît, le seul moyen de ne pas s'épuiser dans la vie avec les autres – dans tout ce qu'on donne, travail, temps, amour – est d'avoir libéré en nous l'énergie du dedans. Grâce à cette force sans limites issue de notre lien mystérieux avec le hors-monde, au cœur de nous-mêmes, l'altruisme et la contribution au bonheur de tous n'apparaissent plus comme des «sacrifices» ou des «devoirs», mais comme bienfaiteurs autant pour soi que pour autrui, parce qu'ils sont nécessaires pour employer ou investir hors de soi, pour les autres, l'énergie reçue de l'intérieur. Pour l'individu qui en a fait l'expérience peut se vérifier alors la parole des Apôtres: «Il y a plus de bonheur à donner qu'à recevoir» (*Actes*, 20, 35); et je pense vie pleinement humaine, c'est-à-dire à concilier librement ses deux aspirations. »

Le lien avec la nature

Le lien avec la nature, enfin, est lui aussi une formidable école de dépassement de l'égoïsme. Ce lien est notre troisième maître, avec le lien à soi et à autrui, grâce aux leçons desquels nous apprenons à vaincre aussi bien l'égoïsme ordinaire (attachement aux intérêts du petit moi) que l'égoïsme fondamental (identification illusoire de notre être au petit moi).

Commençons par cet égoïsme fondamental. Lorsque nous sommes dans la nature, une expérience très simple dissipe – si nous la méditons suffisamment – l'illusion que notre vie se limite à notre ego ordinaire. En effet, la contemplation patiente de la nature nous fait observer le renouvellement et la métamorphose incessante de la vie. Concentrez-vous par exemple sur l'eau qui coule. Le plus modeste ruisseau suffira. Voyez avec quelle ingéniosité et persévérance ce petit malin poursuit sa route sinueuse malgré tous les empêchements petits et grands. Rien ne l'arrête, il contourne le rocher pesant, sautille sur les cailloux, érode patiemment ce qui lui fait barrage et finit toujours par le traverser... L'eau courante devient glaçon l'hiver, et vapeur à d'autres moments... Toujours elle reprend sa course... Le temps ne joue pas contre elle, elle se joue de lui, elle l'utilise pour toujours arriver à ses fins et surmonter tous les obstacles.

Quel enseignement en retirons-nous? Concentrez-vous aussi à chaque printemps sur tout ce qui renaît. Concentrez-vous enfin sur tout ce que vous rencontrez qui suggère que la nature est en perpétuel mouvement, et qu'elle rappelle dans ses plus petites parties l'ingéniosité et l'infatigabilité du vivant: cette eau qui coule, la souche qui pourrit, la tige qui pousse, la fourmi qui transporte le cadavre d'un autre insecte... tout ce qui vous tombe sous les yeux est en perpétuelle transformation, comme s'il était le passager provisoire d'un voyage sans fin, le voyage d'une vie immortelle parce que toujours vivante malgré mille et une péripéties et métamorphoses, malgré mille et un obstacles qui ne l'arrêtent que partiellement ou ne la tuent que provisoirement. Chaque arrêt est suivi d'un nouveau départ. Chaque mort est l'humus d'une renaissance. La mort toute entière semble n'être que la complice dont use la vie pour se renouveler, ruse employée par le génie de la vie pour devoir s'exprimer encore et pouvoir triompher toujours plus.

Le Tisserand attentif et méditatif, qui s'assoit pour observer tout cela, finit par se dire: «Et moi au fait?» Pourquoi serais-je l'exception à la règle? Pourquoi ne le préjugé selon lequel notre être se limite à ce petit moi. Vous m'éprouverez jamais ce sentiment d'isolement dans la nature, cette mère Nature ainsi nommée parce qu'elle vous enveloppe et sait vous «prendre avec elle», vous faire sentir votre appartenance au Tout... Mais en ville tout conspire au contraire à nous persuader que nous ne serions qu'un «atome de vie séparé» sans lien avec la vie universelle, qui, elle, s'étend désormais trop loin de nous dans des espaces où nous ne mettons plus qu'occasionnellement les pieds comme dans un milieu étranger. Le langage de la nature, que nous ne comprenons plus, est le lien de tout le vivant, son unité, qui finit par nous apparaître comme une abstraction. Nous sommes devenus insensibles à «l'élan vital» qui nous traverse. Il apparaît à nos esprits trop rationnels comme une théorie mystique et à peu près invraisemblable du Grand Tout. En réalité, cette conviction d'irrationalité est strictement proportionnelle à notre perte presque totale de familiarité avec le phénomène de la vie.

Rien dans nos cités ne nous rend moins égoïstes, c'est-à-dire moins attachés à l'existence et aux intérêts de cet ego ordinaire... et rien ne nous rend moins cruels! Cruels avec un animal dont nous avons perdu de vue la conscience, la sensibilité, la souffrance et que – loin des yeux, loin du cœur – nous supportons de livrer à un holocauste invraisemblable dans nos abattoirs. Seule une réinscription méditative dans la nature pourrait nous inspirer à nouveau plus d'humanité envers les animaux, en nous rappelant la solidarité de tout le vivant, en vertu de laquelle chacun ne prélève que ce dont il a réellement besoin sans jamais rien asservir à la folie de la surconsommation ; en nous rappelant aussi que nous ne sommes pas les propriétaires esclavagistes de la nature, mais que nous sommes au service de l'univers – chargés d'être de la conscience qu'il prend de lui-même. Cette fonction d'œil de l'univers, cette place éminente dans le Tout cosmique, ne sont pas une chimère, et leur intuition sont le signe d'un accroissement de conscience. Leur vie au sein de la nature et à son rythme faisait que la conscience du rôle de l'homme dans le cosmos se développait spontanément chez nos ancêtres. Pour retrouver cette évidence, j'espère que nous pourrons compter sur les Tisserands. Ils vont avoir en effet à propager au maximum la prise de conscience que l'enjeu de l'écologie va bien au-delà de ce qu'on entend d'ordinaire à ce sujet. En réalité, il ne s'agit pas seulement de « sauver la planète » ou de « protéger la nature », mais également de nous sauver nous-mêmes en réapprenant à écouter les grandes leçons de la nature ; en retrouvant notre lien symbiotique avec elle pour nous délivrer – par exemple – de la croyance morbide que nous ne serions que mortels ; en retrouvant aussi une harmonie entre avec celle d'un dieu, et qui s'exerce dans le champ entier d'un univers pourtant incommensurable, seules les divinités titanesques de nos panthéons religieux lui apparaissent comme *à sa mesure...* Ou plutôt donc, à la démesure du chaos créateur qui dort en lui.

En apparence, les textes sacrés nous parlent d'un dieu qui nous aurait créés avec le reste de la nature pour prendre soin de son œuvre. L'homme n'aurait pour fonction que de servir le Créateur, et de l'admirer pour l'ensemble de son œuvre. Averroès écrit ainsi au XIIe siècle* que le Coran nous invite à reconnaître l'artisan dans l'œuvre, c'est-à-dire à identifier la sagesse et la miséricorde de Dieu comme la cause souveraine de l'harmonie, de la beauté, et de la prodigalité créatrice de la nature : « Il crée chaque jour quelque chose de nouveau » (LV, 29). Mais dans l'islam comme ailleurs, les esprits les plus exigeants ou pénétrants ont compris que le dieu en question est la figuration suprême de l'activité du Soi créateur dans l'être humain : c'est en réalité « dans son être intime, l'homme, tel que le conçoit le Coran », qui « est une activité créatrice » et qui cherche à se révéler à lui-même comme « Soi créateur » (Mohammed Iqbal) capable d'enfanter une infinité d'univers, dont celui où nous sommes pour l'heure n'est qu'un exemplaire.

* Averroès, *Traité décisif*, Flammarion, GF, 1999.

Plus l'histoire de l'humanité avance, plus l'humanité se rapprocherait de cette capacité finale. Comme le souligne encore Mohammed Iqbal, l'évolution de l'espèce humaine pourrait être interprétée comme la gestation puis la croissance d'un génie créateur littéralement inouï... Et cela lui fait dire que nous ne savons pas encore qui est l'homme, ni ce dont il est capable. L'humain même est-il déjà né? Se pourrait-il que nous soyons encore loin du terme, toujours en maturation dans les matrices emboîtées du corps, de la conscience de soi de l'ego ordinaire, de la société, du cosmos, sur la voie de cette naissance ultime où notre humanité, surprise de voir entre ses mains ce qui lui semblait auparavant relever du pouvoir des dieux, prendrait d'elle-même une nouvelle conscience? Si l'on suit l'intuition jusqu'au bout, on en déduit que tout ce que nous disent les religions à propos des dieux nous parle de notre avenir. Et si donc les dieux eux-mêmes n'avaient pas commencé d'exister? Et s'ils attendaient pour le faire que nous devenions réellement, historiquement, ce qu'ils étaient métaphoriquement, métaphysiquement?

De telles questions semblent à première vue fantastiques et fantasmatiques. Mais le sont-elles tant que ça? Aujourd'hui elles deviennent très étrangement actuelles, ce qui nous oblige à les prendre très au sérieux. Comme je l'ai dit plus haut, en effet, nous prenons actuellement le chemin de la divinisation sans y être prêts du tout : nous commençons à ressembler terriblement à de jeunes dieux fous, ivres de leurs nouveaux pouvoirs, mais sans aucune sagesse encore pour en user à bon escient. En ce début de XXIe siècle, quelque chose comme la condition divine nous sollicite et nous attire irrésistiblement vers elle, mais qu'allons-nous en faire ? Comment en être dignes ? Comment s'y préparer, en admettant qu'on puisse être prêt à assumer quelque chose de cet ordre ? L'homme vient de naître dans la condition divine sans avoir les moyens de l'assumer : c'est un bébé dieu – la néoténie spirituelle du nouveau-né divin démuni.

J'ai déjà tenté ailleurs de répondre à ces questions, à plusieurs reprises[*]. J'y reviens ici parce qu'elles sont décisives pour approfondir encore notre méditation sur la vie reliée. Jusqu'où celle-ci est-elle susceptible de nous faire grandir ? En quel sens cette vie reliée pourrait-elle nous aider à assumer la condition divine qui désormais nous tend les bras ? Dans le Triple Lien, il y a, me semble-t-il, une sagesse possible pour les jeunes dieux que nous sommes… Pour explorer cette sagesse, j'ai proposé en 2008 de lire à nouveau un passage

[*] *L'Islam sans soumission. Pour un existentialisme musulman,* Albin Michel, 2008 ; *L'Islam face à la mort de Dieu. Actualité de Mohammed Iqbal,* François Bourin éditeur, 2010 ; *Comment sortir de la religion,* La Découverte, 2012.

central du Coran qui pose la question du lien de l'être humain à l'univers. Le texte est censé faire parler Allâh, le dieu de l'islam, qui dit à Adam : «Je vais établir quelqu'un *à ma place* sur la terre» (II, 30). J'ai explicité cela comme une anticipation – «prophétie», dans le langage religieux – de cet avenir plus ou moins lointain où l'être humain serait *symboliquement* appelé à devenir le successeur ou l'héritier des dieux, c'est-à-dire *réellement* le nouveau titulaire ou dépositaire d'une puissance primitivement attribuée à ces dieux. J'ai esquissé alors une éthique – créatrice et miséricordieuse – pour cette puissance. L'homme aurait-il donc imaginé les dieux pour se doter du modèle de sagesse toute puissante grâce auquel il pourra se gouverner lui-même un jour ? Qui sait ?

Marée haute

Si la vie spirituelle est la vie reliée, n'est-ce pas alors la vie tout court ? Il y a partout en effet des liens qui nous sollicitent, à chaque instant de nos vies tel ou tel fil du Triple Lien est à nouer, consolider, prolonger… Rien de plus simple, de plus quotidien, de plus élémentaire. Cherchez un moment sans rapport à vous-mêmes, ou bien à autrui, ou bien à la nature et à la vie. Cela n'a pas de sens, et vous n'en trouverez pas.

L'existence est une succession indéfinie et continuelle de relations. La vie est un immense métier à tisser. Dès lors, le Tisserand n'a nul besoin d'aller chercher la vie spirituelle loin de là où il est, à chaque moment, d'aller la quérir dans un au-delà ou dans des lieux à part – églises, mosquées, pagodes ou synagogues. Non, pour lui, tout lieu fait office de temple ; il n'a plus aucun besoin d'édifices sacrés. La moindre interaction remplace les vieux rites. Le champ de sa vie spirituelle ne rencontre plus aucune limite…

Pour les Tisserands, c'est comme si la mer du spirituel soudain remontait très vite et comme si le coefficient de la marée était sans précédent. Les époques religieuses séparaient la vie en deux – activités profanes et activités sacrées, domaine profane et domaine sacré. À notre époque, cette division n'a plus aucun sens. La frontière est emportée. L'est-elle au profit du sacré ? On pourrait le croire, puisque tout est sacralisable à partir du moment où la vie spirituelle se confond avec la vie reliée. Mais, en réalité, le mot même « sacré » est par conséquent inutile ! Il signifiait en effet « ce qui est à part », « ce qui est d'un autre ordre » et dont on ne s'approche qu'à grand-peine et avec effroi tellement cela nous dépasse. Or tout s'est rapproché ! Plus de distance du Tout, à partir du moment où nous « faisons le sacré », ou, mieux, « nous faisons ce que faisait le sacré », à savoir nous éveiller à notre moi profond, par nos liens les plus quotidiens – avec nous-mêmes, autrui et la nature. Donc, la notion de «sacré» et la notion de «spirituel» deviennent obsolètes, dépassées. Et à ce que je disais plus haut, on peut ajouter ceci: c'est non seulement la vie spirituelle mais la vie sacrée qui devient la vie tout court en s'étendant à tout le domaine de la vie reliée. Le trésor qu'on allait chercher autrefois dans la crypte du sacré nous est maintenant donné potentiellement dans chacun de nos liens. Comme le souligne Martin Buber, «là où nous avons été placés, [...] c'est justement là, et nulle part ailleurs, que se trouve le trésor. C'est dans le milieu que je ressens comme mon milieu naturel, dans la situation qui m'est échue en partage, dans ce qui jour après jour me réclame, c'est là que réside ma tâche essentielle, là est l'accomplissement de l'existence qui s'offre à ma portée*.»

On se plaint souvent aujourd'hui d'avoir des existences qui seraient incompatibles avec une vie spirituelle? Grâce à la «marée haute», c'est tout le contraire: toutes les interactions du Tisserand – et toute notre vie est interaction – sont vécues comme autant de supports de l'éveil et de l'élévation intérieure. En lui l'animal métaphysique et l'animal politique se réconcilient. En lui se célèbrent les épousailles

---

* Martin Buber, *Le Chemin de l'homme, op. cit.*, p. 51-52.

de la vie ordinaire et de la vie mystique. Il y a toutefois une condition : ce Tisserand doit s'engager dans chacune de ses interactions avec l'intention d'en faire un moment spirituel, car le secret de l'acte, s'il y en a un, est bien dans son intention. C'est grâce à elle que tout lien, même le plus banal, pourra contribuer à notre progrès d'Être, de Conscience et de Joie (le *Sat Chit Ananda* des hindous). Il «suffit» de vouloir le vivre comme tel, avec l'intensité d'intention nécessaire. «Les actes ne valent que par leur intention (*Innamâl-a 'mâlou bi'nniyyâti*)», disait déjà Mohammed dont le génie était de porter une sagesse post-religieuse alors qu'on a voulu en faire un fondateur de religion. Quelle méprise ! Loin de vouloir enfermer la vie spirituelle dans des rites et des dogmes (comme le fera ensuite l'islam), il s'attachait en effet à donner à chacun de ses actes, même le plus quotidien, la valeur d'un moment spirituel. En lui la vie spirituelle et la vie tout court étaient continuellement, et très simplement, reliées... Mohammed fut ainsi à mes yeux non pas le prophète d'une religion de plus, mais une sorte de précurseur trop précoce de l'humanité du futur : l'humanité tisserande.

Propositions finales

Afin d'orienter la civilisation humaine vers le service de la vie tisserande, je fais quatre propositions :

1. Réfléchir ensemble à la façon de mettre tous nos rapports sociaux au service de la culture du Triple Lien nourricier, à soi, à autrui, à la nature.

2. Réfléchir ensemble à la façon de mettre équitablement le maximum de liens nourriciers au service de chaque être humain dans le monde.

3. Transmettre aux jeunes la culture théorique et pratique du Triple Lien en repensant pour cela toutes nos éducations dès le plus jeune âge.

4. Proposer que la Déclaration universelle des droits de l'homme proclame que «tout être humain a droit de manière égale au maximum de liens qui libèrent en lui l'expression de son moi profond».

Épilogue

J'ai bien conscience que ce livre pourra dérouter comme une sorte d'OINI, «objet intellectuel non identifié» et pour beaucoup de lecteurs une «rencontre du troisième type». Il tente en effet de décloisonner complètement les registres, les références et les domaines en faisant communiquer tous ceux qui se sont séparés depuis des siècles : des saints, des mystiques, des sages, des philosophes, des sociologues, des économistes, des scientifiques, etc. Cet effort est délibéré. Les temps qui viennent appellent cette transversalité et vont s'y prêter plus encore dans l'avenir immédiat. Il va nous falloir des Tisserands autant sur le plan intellectuel – qui relient savoirs et sagesses – que sur le plan pratique, au service conjoint d'une transformation complète de la culture et de la civilisation humaine. En mobilisant ainsi toutes les voix de l'esprit, j'ai tenté de forger une langue spirituelle commune, grâce à laquelle tous peuvent se retrouver – qu'ils soient athées, agnostiques ou croyants. Cet espéranto est celui du Triple Lien, qui libère *de* l'enfermement dans la prison égoïste et illusoire du petit ego et qui libère *en* chacun en nous le moi profond. Parler dans la «langue de la vie reliée», c'est «parler en langue» comme le dit la Bible, c'est-à-dire parler un langage que nous pouvons tous comprendre et qui nous permet de nous comprendre tous. C'est le langage humain par excellence, car il nous rappelle notre réalité fondamentale : nous ne sommes rien tout seuls, rien sans nos interactions. Et il nous appelle en même temps à notre vocation la plus élevée : grandir en humanité, nous éveiller à d'autres degrés d'être et de conscience. Pour ces deux raisons, il me semble que la langue du Triple Lien parle à tous, tout en laissant chacun libre de la parler comme il l'entend. À chacun de trouver sa voix et sa voie dans la vie reliée. À nous tous maintenant de travailler ensemble à réparer le tissu déchiré du monde. Tisserands, à nous de jouer!

Table

Nota bene

Ce premier ouvrage inaugure une collection du même nom – «Les Tisserands» – dont la vocation sera de rassembler une série d'ouvrages sur le sens de la recréation des liens, des «récits de tissage», des témoignages de Tisserands, afin que ceux-ci s'en servent comme autant de ressources d'inspiration réciproque et de moyens d'associer bien davantage leurs efforts.

Jan

Achevé d'imprimer en avril 2016
par Normandie Roto Impression s.a.s. à Lonrai
Dépôt légal : mai 2016
N° impr : 1601102
Imprimé en France